SAUVAGE, BABY

Du même auteur

« La faim irrationnelle et hallucinante du coureur et de la bête sauvage qui sommeille en lui », dans *Treize à table,* collectif, Éditions Druide, 2018.

Boxer la nuit, Libre Expression, 2016.

Territoires inconnus, Libre Expression, 2015.

« Errances », dans *Pourquoi cours-tu comme ça ?,* collectif, Stanké, 2014.

PATRICE **GODIN**

SAUVAGE, BABY

Catalogage avant publication de Bibliothèque et Archives nationales du Québec et Bibliothèque et Archives Canada

Godin, Patrice, 1968-, auteur
Sauvage, baby / Patrice Godin.
ISBN 978-2-7648-0996-9
I. Titre.

PS8613.O342S38 2018 C843'.6 C2018-941495-2
PS9613.O342S38 2018

Édition : Johanne Guay
Révision et correction : Sophie Sainte-Marie et Nicole Henri
Couverture : Chantal Boyer
Mise en pages : Johannie Brosseau
Photo de l'auteur : Blanches Bulles Studio

Remerciements
Nous remercions le Conseil des Arts du Canada et la Société de développement des entreprises culturelles du Québec (SODEC) du soutien accordé à notre programme de publication. Gouvernement du Québec – Programme de crédit d'impôt pour l'édition de livres – gestion SODEC.

Financé par le gouvernement du Canada | Canada

Les Éditions Libre Expression
Groupe Librex inc.
Une société de Québecor Média
1055, boul. René-Lévesque Est
Bureau 300
Montréal (Québec) H2L 4S5
Tél. : 514 849-5259
Téléc. : 514 849-1388
www.edlibreexpression.com

Dépôt légal – Bibliothèque et Archives nationales du Québec et Bibliothèque et Archives Canada, 2018

ISBN : 978-2-7648-0996-9

Distribution au Canada
Messageries ADP inc.
2315, rue de la Province
Longueuil (Québec) J4G 1G4
Tél. : 450 640-1234
Sans frais : 1 800 771-3022
www.messageries-adp.com

Diffusion hors Canada
Interforum
Immeuble Paryseine
3, allée de la Seine
F-94854 Ivry-sur-Seine Cedex
Tél. : 33 (0)1 49 59 10 10
www.interforum.fr

À ma mère, à mon père.

« Ne pouvoir vivre qu'une vie,
c'est comme ne pouvoir vivre du tout. »
MILAN KUNDERA

« Alors tout sera comme avant.
Je jure que ce ne sera plus
qu'un mauvais souvenir, et encore. »
RAYMOND CARVER

1

Le monde est sauvage.

2

S'en sortir. Avait-elle une seule chance ?

Parfois, elle en doutait. C'était la peur qui la figeait. Elle ne voyait rien devant elle, sinon un trou, un trou noir, immense, qui finirait par l'avaler.

Frank.

Frank ne la lâchait pas, il ne la lâcherait jamais.

Il la tenait à la gorge. Il la paralysait.

Pauvre idiote, elle pensait, *tu es prise au piège. Pas vrai ?*

Si elle faisait un geste, elle n'avait aucune idée de ce qui en découlerait. C'était ça qui l'effrayait, aussi bête que ça pût paraître.

Sa nuit était sans fin. Un long tunnel.

Il suffisait d'un geste, pourtant. Un seul.

Un geste.

La violence d'une action.

3

« You can have my money / Have me on my knees /
You can have my body / But you can't have me /
No, you can't have me. »
THE PRETTY RECKLESS

L'autoroute. La 10, direction ouest.

Ils avaient quitté le restaurant depuis une vingtaine de minutes, un restaurant chic, quatre étoiles et demie sur Yelp, au centre-ville de Sherbrooke. Ils rentraient, en chemin vers leur luxueux appartement à Montréal.

La soirée était chaude, brûlante. Frank roulait pied au plancher, la main posée sur la cuisse d'Alexia.

Sa main moite.

Alexia se sentait vidée, abattue. Absente d'elle-même. Elle en avait assez. Elle fixait la route, l'obscurité que les phares halogènes illuminaient. La longue bande d'asphalte, les montagnes qui la bordaient, la forêt environnante. Elle avait cru avoir la force nécessaire, le courage de se tirer. De s'enfuir aujourd'hui et de reprendre sa liberté. C'était son plan initial.

Elle n'en avait rien fait.

Elle avait échoué, une fois de plus.

Son plan – si elle en avait un – avait foiré par son unique faute. Par son inaction, par la léthargie intérieure qui l'engourdissait. Certaines filles se défonçaient pour ne rien ressentir. Pas elle. Elle, elle aurait pu dire que c'était maintenant son état permanent, celui qu'elle traînait partout.

L'occasion s'était présentée, pourtant. Elle aurait pu en profiter alors qu'elle se trouvait seule avec cet Américain. Mais Frank. Frank avait dit qu'il se la coulerait douce dans un spa. Disait-il la vérité ? Mentait-il ? Alexia n'avait pas confiance en lui. Il pouvait aussi bien l'attendre, la surveiller. Il pouvait vouloir la tester, pour son plaisir. C'était son genre. C'était un jeu qui l'amusait, la prendre par surprise.

Elle s'était préparée pour partir. Ses papiers, son passeport étaient dans son sac à main, elle avait retiré une somme d'argent conséquente la veille et le matin même au gym, le maximum possible pour une journée, histoire de se donner une chance, de voir venir. Frank ne s'était rendu compte de rien. Elle aurait pu en profiter, trouver un prétexte pour quitter la chambre d'hôtel quelques instants, laisser l'Américain en plan, se pousser par l'escalier, par la sortie de secours. Se tirer, enfin.

Pour aller où ?

Loin. Loin de lui.

Loin de cette vie. Loin de Frank.

Le plus loin possible.

Oui. Mais où ?

La Porsche Cayenne noire fonçait à cent cinquante, cent soixante kilomètres à l'heure, le moteur ronronnait, et Alexia était enfoncée dans le siège en cuir beige, elle sentait la main chaude et humide de Frank sur la peau nue de sa cuisse. Elle eut un haut-le-cœur, elle ferma les yeux, elle souhaitait presque que Frank se plante, qu'il perde le contrôle du véhicule et qu'ils en finissent, une fois pour toutes. Le trou noir qu'elle ressentait l'avalerait, la consumerait.

Mourir.

Non. Ce n'est pas ce qu'elle voulait, pas ce qu'elle souhaitait.

— *Shit,* Frank grogna en levant soudain le pied.

Alexia rouvrit les yeux. Au loin, elle aperçut des gyrophares, à un kilomètre et demi, deux kilomètres. Il n'y avait pas des masses de trafic à cette heure, mais les avertisseurs de frein des voitures qui les précédaient s'illuminèrent.

— C'est quoi ? elle demanda.

— Un accident. Ou un barrage routier. Ça fait chier.

De cent cinquante kilomètres à l'heure, ils passèrent à cent dix en une poignée de secondes, puis à quatre-vingt-dix, quatre-vingts. La Porsche décéléra, ralentit, et Alexia surveilla l'odomètre. Sans réfléchir, elle détacha sa ceinture.

— Qu'est-ce que tu fais ? lança Frank.

— J'ai besoin d'un truc, dit-elle en se retournant pour attraper son sac à main à l'arrière.

Quatre-vingts. Soixante-dix. Soixante-cinq. Soixante.

À mesure qu'ils approchaient du bouchon et des autopatrouilles, la vitesse diminuait. C'était un accident, un camion renversé sur le terre-plein et des débris sur la chaussée, les voitures déviaient les unes après les autres sur la voie de droite, au ralenti. Bien qu'encore à distance, Frank suivit le mouvement et se tassa. En principe, il aurait tenté de couper le plus tard possible pour ne pas être immobilisé par le trafic, il n'aimait pas attendre, il passait toujours avant les autres, mais là, avec les flics, il ne voulait pas déconner.

Pour Alexia, le temps s'était arrêté.

Cinquante. Quarante-cinq.

Elle inspira en profondeur. Ce qui venait de lui traverser l'esprit, c'était un sacré, un foutu risque à prendre. L'alarme de la ceinture de sécurité sonnait, mais elle ne l'entendait pas. Frank lui dit de se rattacher. Elle ne l'entendit pas non plus. Elle jeta un rapide coup d'œil dans le rétroviseur latéral. Il n'y avait pas de voiture en vue derrière eux. Que la nuit noire. Brûlante. Des phares, mais dans le lointain.

Quarante kilomètres à l'heure.

Elle décida de se lancer. Elle comptait sur l'effet de surprise, elle n'avait rien à perdre. Elle ouvrit la portière, se jeta dans le vide en tenant son sac contre sa poitrine.

Tout bascula.

Le ciel et la nuit étaient parsemés d'étoiles.

4

Le choc initial fut violent, il lui fit perdre le souffle. Une douleur fulgurante la traversa, une décharge électrique qui se répandit en elle, une traînée de feu. Elle rebondit sur le bord de la route, roula dans le gravier, puis dans l'herbe, dévala le talus, où elle termina sa chute en se cognant la tête contre une roche. Par chance, elle ne perdit pas connaissance, mais le sang commença à couler à flots dans ses cheveux, sur son visage. Sonnée, elle se releva sans attendre et, juste le temps de voir Frank freiner sec et sortir du VUS en courant, une centaine de mètres plus loin, elle s'enfonça dans la forêt en chancelant, toujours en serrant son sac contre elle. Elle l'entendit gueuler son nom, il s'époumona comme un dingue.

— ALEXIA ! ALEXIAAAAAAAAAAA !

Va chier, elle pensa.

Elle avait perdu un de ses souliers à talons hauts en sautant de la voiture et elle vira l'autre sans hésiter, le laissa tomber dans les feuilles mortes. Il était hors de question de s'embêter avec ça. Elle avait mal, elle tenta d'oublier la douleur, il fallait qu'elle tienne bon. Elle ne savait pas si Frank allait la suivre. Pour le moment, elle n'entendait rien, personne ne la poursuivait, personne n'essayait de se frayer un chemin derrière elle dans les ronces. Pas encore, du moins. Elle entendait juste ses cris au loin et les insanités qu'il gueulait. Il n'y avait pas de risque à prendre, pas une minute à perdre. Elle ne pouvait pas s'arrêter. Elle commença à courir, à grimper la côte abrupte devant elle, comme elle le pouvait, en s'accrochant aux arbres, en tirant sur les branches avec son bras gauche. Elle grimaçait, le souffle court, pleurait en même temps, chaque mouvement lui aurait arraché un hurlement si elle ne s'était pas retenue. C'était son épaule droite, elle était déboîtée, elle formait un angle bizarre, et son genou, le droit aussi, elle le sentait pulser comme si son cœur s'y trouvait enfermé. Elle avait l'impression d'être cassée en mille morceaux. En fait, lui aurait-on appris qu'elle avait tous les os du corps brisés qu'elle n'en aurait pas été surprise.

Elle pissait le sang.

5

La peur vrillait maintenant ses entrailles, formait des nœuds dans son ventre, peut-être autant que dans sa tête. Elle était désorientée, déshydratée, elle n'arrivait pas à réfléchir. Elle n'avait plus conscience du temps. Elle avançait depuis, quoi, une heure, deux? Difficilc à juger. Plus tôt, son iPhone avait sonné dans son sac à main. Elle avait sursauté. C'était Frank. Il se mit à l'appeler encore et encore, de manière frénétique. Il lui envoya des messages texte: «Je vais t'avoir, salope. Je te lc jure.» Elle réalisa qu'il pouvait la retracer avec ce foutu mobile, elle avait alors pris l'appareil, elle l'avait fracassé contre une roche. Elle était en sueur, elle grelottait en même temps. Elle ne s'était pas vraiment arrêtée jusque-là, simplement pour respirer un coup, mais ça ne comptait pas. Le sang avait cessé de couler de cette blessure à la tête. Elle se sentait faible, à bout de forces, sur le point de défaillir. Elle avait besoin de reprendre son souffle, de faire une pause. Ses pieds lui faisaient un mal de chien, sans parler du reste. Son bras droit était hors service, écorché par la friction sur le sol lors de sa chute et couvert de saletés, elle le tenait contre son ventre, avec son sac à main, le moindre micromouvement était douloureux. Ses pieds étaient à vif, à peine si elle arrivait à rester debout. Elle s'appuya contre un arbre, s'assit dans les feuilles mortes, sur la terre humide.

Le silence était lourd autour d'elle, oppressant. Frank ne l'avait pas suivie. Alexia pensa qu'il manquait de cran pour ce genre de chose. Il n'en manquait pas pour la frapper, mais pour ça, oui. Elle aurait ri si elle n'avait pas autant souffert. Elle était seule, paumée en plein bois, dans ces montagnes qui pouvaient aussi bien ne mener nulle part. Elle était incapable de distinguer le nord du sud, l'est de l'ouest. Tout ce qu'elle savait, tout ce qu'elle *croyait* savoir, c'était que l'autoroute se trouvait derrière elle, dans son dos. Elle en était à peu près certaine. Certaine aussi de ne pas avoir tourné en rond. Pour le reste, elle n'arrivait pas à se repérer.

Elle se laissa somnoler un court instant, mais il suffit d'un craquement près d'elle pour qu'elle bondisse.

Son cœur battait au point de rupture. Elle se releva tant bien que mal, elle n'avait aucune idée de la manière dont elle allait se sortir de là. Elle sentait la panique l'envahir. Elle chercha à la repousser, elle recommença à marcher.

À courir.

Ses pieds, bordel, c'était comme si elle avançait sur du verre pilé.

6

Sam avait passé la nuit à repeindre les vestiaires de l'Académie Shōri – Arts martiaux mixtes et Boxe. *Shōri* signifiait victoire en japonais. C'était Danny qui avait proposé le nom, il avait vécu trois ans au Japon, quand il combattait pour Pride Fighting au début des années 2000. Pour Sam, c'était parfait.

Le bâtiment, situé au coin de la rue King et de la 10e Avenue à Sherbrooke, avait été rénové quelques années plus tôt, mais il y avait toujours des bricoles qui traînaient, des machins à réparer. Repeindre les vestiaires, c'était un truc qu'ils remettaient depuis un moment déjà, Danny et lui. Sam avait décidé de s'y coller. Danny avait voulu lui donner un coup de main, mais Sam lui avait dit de laisser tomber, il avait insisté, il lui avait suggéré d'emmener Rose au restaurant ou au cinéma, peu importe, de ne pas s'en faire avec ça, de se la couler douce pour une fois. Le combat de Rose approchait, ils avaient le droit de s'accorder une soirée, de penser à autre chose, de se relaxer.

La vérité, c'était qu'il préférait être seul pour ce genre de boulot. Les travaux de peinture

– les travaux manuels, en général –, ça le détendait, ça lui évitait de se prendre la tête, c'était comme courir ou s'entraîner, ça lui évitait de se perdre dans les dédales de son esprit, qui pouvaient être sombres et sinueux, remplis d'images, de souvenirs désagréables. Depuis son retour à la vie civile, quatre ans plus tôt, il lui arrivait de replonger dans le bruit et la fureur sans avertissement. Un clignement d'yeux, un claquement de doigts, et il se retrouvait à nouveau les deux pieds dedans, il avait de ces flashs qui lui donnaient de sévères maux de tête. Son crâne voulait se fendre en deux, il n'appréciait pas particulièrement. Il essayait de ne pas replonger en arrière, il évitait autant que possible, mais il n'avait pas le contrôle là-dessus. Ses films d'horreur personnels, fichés dans sa mémoire, démarraient seuls sans qu'il puisse rien y faire. Les projections s'autoprogrammaient. Il avait commencé à écrire un livre sur ça, sur ses expériences, c'était une façon comme une autre d'exorciser ces images. Il écrivait des histoires de guerre, pas seulement les siennes d'ailleurs, celles de ses camarades, ses frères d'armes, opérateurs dans les Forces spéciales comme lui. Il écrivait à temps perdu, souvent la nuit, quand les mauvais rêves le surprenaient, quand l'insomnie le tenait dans ses griffes, suspendu juste au bord du précipice.

Il préférait donc être seul pour faire ce boulot, ce job de peinture. La nuit, c'était parfait, tranquille, il n'avait pas envie de parler à qui que ce soit, pas même à Danny, son petit frère. Il voulait y aller à son rythme, comme il l'entendait, en songeant peut-être à d'autres histoires qu'il pourrait écrire, des trucs de dingues qu'il avait traversés, dont il avait été témoin, la folie des hommes, inépuisable, d'une violence absurde, d'une tristesse profonde, infinie.

Il avait commencé à peindre en début de soirée, après la fermeture du Shōri. Les vendredis soir, en août, ce n'était pas la période où ça se bousculait le plus aux portes. La plupart des gens profitaient des derniers jours de l'été, même les pros prenaient congé si aucun affrontement n'était au calendrier pour l'automne, et, avec la chaleur qu'il faisait, plusieurs se retrouvaient à *chiller* sur les terrasses jusqu'au petit matin ou à engraisser en se gavant de barbecue dans les cours arrière, menant la belle vie au bord des piscines. Seule Rose avait un combat prévu à la mi-septembre, au gala UFC Montreal. Mais Rose était un cas à part, une véritable guerrière innue avec une âme de bouddhiste, elle ne s'arrêtait jamais sinon pour méditer et passer de bons moments avec Danny. Même sans combat, elle aurait été au gym dès les premières heures, vacances d'été ou non.

Sam prit son temps, il ne lésina pas, il étendit deux généreuses couches de blanc antimoisissures partout, sur les murs et aux plafonds, derrière les casiers qu'il avait déplacés au centre des deux pièces. Quand il eut terminé, qu'il eut tout remis en place, c'était parfait, nickel tant du côté des hommes que du côté des femmes, et l'odeur de peinture fraîche envahissait l'ensemble du gymnase. Il descendit au sous-sol, dans le réduit qui servait d'atelier, nettoya rouleaux et pinceaux, rangea le matériel. En remontant, il en profita pour passer un coup de vadrouille partout sur le sol afin de bien terminer le travail. À la suite de quoi il s'accorda une bière froide, glacée, assis sur le bord du ring.

Le Shōri avait de la gueule, on ne pouvait pas dire le contraire. Danny avait bien géré son après-carrière en arts martiaux mixtes, il avait négocié le virage sans problème. Il avait une tête sur les épaules. Il avait rencontré Rose, était devenu son entraîneur et s'y était fiancé dans la foulée. Cette fille-là était une perle rare, Sam en convenait. Il était fier de Danny, de son *petit* frère. Sam était de six ans son aîné, mais ça le faisait rigoler parce que Danny avoisinait le mètre quatre-vingt-quinze alors que lui-même s'arrêtait pile à un mètre soixante-quinze. Le *petit* dans ce cas était relatif.

À une époque, quand il était adolescent, Danny avait failli courir à sa propre perte, il avait déconné solidement. Sam s'en était senti un peu responsable, mais c'était son frère qui avait fait de mauvais choix. L'alcool, la dope, des imbécillités à la tonne et des erreurs de jugement, il était jeune et il s'enfonçait grave. Ça lui avait pris une sacrée frousse pour qu'il songe à de meilleures perspectives d'avenir. Un calibre 12 tronçonné collé sous le nez avait fait le travail. Il avait eu la chienne, ça l'avait secoué. Il s'était remis sur pied et, au lieu de suivre les traces de Sam et de le rejoindre dans les rangs militaires, il s'était lancé dans la pratique des arts martiaux mixtes avec une ferveur quasi religieuse. L'Académie Shōri, il l'avait montée à partir de rien, avec l'aide de Rose et d'une poignée de dollars. Sam avait peu à y voir. Enfin, après sa démobilisation, il y avait investi une partie de son argent, ce qu'il avait mis de côté à la suite de son divorce, et avec le reste il avait acheté sa baraque isolée au bord d'un lac près du mont Orford. Il touchait sa pension de vétéran, il ne demandait rien d'autre que d'avoir la paix. C'était lui qui s'occupait de l'entretien général du gymnase et de la bâtisse, il supervisait aussi une poignée de jeunes boxeurs amateurs. À l'occasion, il servait de *sparring partner* à des pros et il aidait Danny pour les entraînements de Rose, il était toujours dans son coin lors des combats. Ça lui suffisait. Il cherchait ainsi à donner un nouveau rythme à sa vie et il y arrivait.

Sa bière terminée, il resta sans bouger, faisant tourner la canette entre ses doigts. Il aimait le calme quasi irréel qui l'entourait. Normalement, c'était agité dans le gymnase, des corps en mouvement, en sueur, des grognements, des ahans résonnaient, le sang coulait parfois et des os se brisaient. À présent, c'était comme si plus rien de cela n'existait. Le temps n'avait plus d'emprise. Les sacs de sable étaient figés, immobiles, pareils à des sentinelles suspendues. En Afghanistan, en

Irak par la suite, Sam avait connu des instants semblables, une sorte de paix intérieure qui naissait en lui, pour aucune raison précise, une paix étrange, en plein territoire de guerre, entre deux missions. Ça ne durait jamais longtemps. La cadence opérationnelle de base était à haute vitesse, *top speed,* personne n'était là pour rigoler. Les bombes explosaient, les balles sifflaient. Il y avait toujours un pourri à aller chercher dans ce qu'étaient les nids de guêpes talibans, il fallait s'enfoncer là-dedans en pleine nuit, neutraliser par tous les moyens la tête dirigeante et en ressortir indemne. Souvent, c'était le chaos. Des populations étaient prises en otages, des camarades avaient les bras et les jambes arrachés, le sable du désert s'infiltrait partout, jusqu'à faire se *crasher* les hélicoptères. Le bordel vingt-quatre heures sur vingt-quatre, sept jours sur sept. Amusez-vous, les gars ! Il fallait se bouger le cul avec deux tonnes d'équipement sur le dos, ce n'était pas le moment de s'arrêter pour admirer le paysage. Mais pour s'envoyer des vannes douteuses, oui, ça, ça ne manquait jamais. « Hé, Buddy ! S'il t'arrive quelque chose cette nuit, je peux garder tes bottes ? Je les aime bien, elles sont chouettes ! », « Ouais, d'accord, moi, c'est ta montre qui me plaît, tu crois qu'ils font le même modèle pour homme ? » Ce genre de blagues, ce genre de conneries. Rien de fameux, mais ça soutenait le moral, d'une certaine façon, l'humour était souvent noir et corrosif, question de tenir la mort à distance, de s'en foutre, de lui faire un doigt d'honneur. Personne sur le champ de bataille ou au cours des opérations ne s'interrogeait sur le sens de la vie ou sur le concept d'impermanence. Ce n'était que de retour à la base que les consciences personnelles pouvaient être fouettées, mises à rude épreuve.

Sam demeura dans la pénombre bleutée du gymnase de longues minutes, jouant toujours avec la canette entre ses mains, pensif. Sans qu'il le souhaite, des images surgissaient par saccades dans son esprit, des visions d'une violence absurde qui brisaient cet état de calme qui l'avait enveloppé jusqu'à présent. Il secoua la tête en grimaçant. Danny et Rose débarqueraient bientôt pour le premier entraînement de la journée de celle-ci. Sam se dit qu'il ferait mieux de rentrer, d'essayer d'aller dormir une heure ou deux.

Dehors, le jour commençait à se lever.

7

Matt Holubowski. En entendant les premiers accords d'*Old Man,* Sam esquissa un sourire. Clara avait trafiqué une de ses listes de lecture lors de sa dernière visite, une habitude qu'elle avait prise pour le sortir de son chaos musical hardcore-heavy metal qui remontait aux années 1980-1990. Il écoutait toujours la même chose, selon elle, les mêmes *bands* hard rock dépassés, elle voulait lui faire connaître du nouveau, lui ouvrir l'esprit. C'était cool pour Sam, ça allait de son côté, tant qu'il ne s'agissait pas de pop pour adolescentes. Ainsi, elle avait inséré Holubowski entre Motörhead et Metallica, Ray LaMontagne entre les Dead Kennedys et Cro-Mags, ce qui était plutôt amusant si l'on considérait les contrastes.

Old man / what are you holding on to ? / The remnants of an expired youth ? / We all age with no say on change / so be graceful man / but do it your own way.

Dans le matin brumeux, ça convenait parfaitement. Lorsqu'elle fut terminée, il remit la chanson pour une seconde écoute. Holubowski, Sam aimait bien. Par contre, il avait rapidement viré Imagine Dragons de son iPhone. En y pensant, il sourit. Clara avait levé les yeux au ciel quand il le lui avait dit. Elle lui manquait. Elle avait passé deux semaines à la maison fin juin et, chaque fois qu'elle repartait, qu'elle rentrait en Oregon pour retrouver sa mère, il ressentait ce vide. Ça ne s'arrangeait pas avec le temps. Il n'en montrait rien, mais quand il la prenait dans ses bras à l'aéroport pour lui dire au revoir, ça lui arrachait le cœur. En fait, c'était comme s'il le saisissait et l'écrasait dans son propre poing. Il pensait à elle en roulant tranquillement sur les routes de campagne, fenêtre ouverte, le bras gauche appuyé sur la portière. Clara était devenue une belle jeune femme, elle n'était plus la petite puce qu'il tenait dans ses bras et qu'il lançait en orbite avant de la rattraper. La façon qu'elle avait de rire aux éclats quand il faisait ça – ses yeux brillants, qui pétillaient – le faisait fondre. Ça remontait à loin. Elle avait dix-huit ans maintenant, elle était magnifique, elle avait la vie devant elle. Sam ne pouvait s'empêcher de penser que les années avaient filé. Bon Dieu, oui, parfois, il en avait le vertige.

Alors qu'il aurait pu prendre l'autoroute, ce qui lui aurait permis d'arriver plus vite, il préférait emprunter les chemins secondaires. Il passa devant l'entrée du parc national du Mont-Orford et, plus loin, devant le centre de ski. Personne ne l'attendait. Il était libre de ses allées et venues, libre de son temps, il n'avait pas de contrainte et, d'une certaine manière, c'était bien, il ne s'en plaignait pas. Il se demandait s'il n'allait pas piquer une tête dans le lac en arrivant. L'idée lui plaisait, ça lui ferait du bien de nager une demi-heure avant d'aller dormir, ça relaxerait ses muscles, les tensions qu'il ressentait dans sa nuque et dans le bas de son dos, de vieilles blessures qui réapparaissaient à l'occasion. Tout était calme, les routes étaient désertes, une brume dense planait sur les collines environnantes, à travers les arbres, dans la forêt. Le fond de l'air était d'une légère fraîcheur, quoique déjà humide. Encore une journée chaude qui s'annonçait. Sam sentait un mince filet de sueur couler le long de sa colonne vertébrale.

À huit kilomètres de chez lui, il tourna à droite, prit un vieux chemin forestier plus ou moins connu, assez mal entretenu et peu fréquenté, sauf par une poignée de résidants comme lui ou par certains adeptes de vélo de montagne. C'était une sorte de raccourci jusqu'à sa maison, si on voulait, bien qu'il fût impossible de dépasser les quarante kilomètres à l'heure étant donné l'état lamentable de la chaussée en terre battue couverte de cailloux. Les risques de bousiller la suspension étaient élevés, il fallait faire gaffe. Pour être honnête, il se rallongeait en passant par là, car ce qu'il sauvait en kilométrage, il le perdait en temps. C'était nul comme raccourci, ça ne valait rien, mais peu importait, Sam aimait passer par ce coin. Il n'était pas rare d'apercevoir des cerfs de

Virginie se nourrir dans les fourrés ou sur les bas-côtés. Les matins de brouillard comme celui-ci, il se devait d'être encore plus prudent que d'habitude, car les cerfs pouvaient bondir sans gêne, directement devant la Jeep. Il en avait évité plus d'un depuis quatre ans qu'il s'était installé dans la région, au bord du lac.

Il venait souvent sur cette route, faire son jogging matinal, sa course de conditionnement, quatre ou cinq fois par semaine. Depuis ce chemin, il pouvait emprunter différents sentiers et se perdre pendant des heures. Il avait la paix. Lors d'une de ses courses, tard au printemps dernier, il avait aperçu une ourse et son rejeton qui marchaient sans se presser devant lui. Il s'était arrêté à bonne distance pour les observer. La mère l'avait senti, s'était retournée, elle l'avait regardé un moment, mais Sam n'avait pas bougé et elle avait poursuivi sa promenade sans inquiétude avant de filer dans les bois, accompagnée de son petit. Il lui arrivait à l'occasion de partager ses excursions avec d'autres animaux, ratons laveurs, renards, parfois même des coyotes solitaires. Certains habitants juraient qu'il y avait une horde de loups qui rôdait dans les parages, d'autres affirmaient le contraire. Pour sa part, Sam n'en avait jamais vu, bien qu'il passât beaucoup de temps dans ces montagnes, pas l'ombre d'un seul, mais il restait ouvert. Les animaux sauvages ne l'inquiétaient pas. Il aimait les loups, c'était ainsi depuis son enfance. Les seuls qu'il ait jamais vus étaient ceux des zoos et, naturellement, ça ne comptait pas. Avoir la chance d'en croiser ne serait-ce qu'un, il n'était pas contre l'idée, c'était même quelque chose qu'il souhaitait. Seulement, il ne se faisait pas trop d'illusions là-dessus.

D'*Old Man* d'Holubowski, la musique fit un bond, passa à Lemmy Kilmister et Motörhead. *You Better Run*. C'était ce genre de trucs qu'il écoutait avant de partir en mission, le *rush* que ça lui procurait, le flot d'adrénaline dans les veines. Sans s'en rendre compte, il accéléra.

8

Elle était là, debout au milieu de la route, enveloppée de brume, auréolée par la lumière blanche du matin. Désarticulée. Une poupée sanguinolente.

Sam la vit au sortir d'une courbe aveugle qu'il prit à trop haute vitesse, il la vit juste à temps pour enfoncer la pédale de frein au maximum. La Jeep Rubicon dérapa en soulevant un nuage de poussière, envoyant valser un paquet de cailloux dans tous les sens, puis elle s'immobilisa net en travers du chemin.

Le moteur cala.

Alexia ne bougea pas. C'est tout juste si elle vacilla en voyant la Jeep foncer sur elle avant de s'arrêter dans un grondement de tonnerre. Elle ne réagit pas, seules ses paupières tressautèrent de manière frénétique.

Figée, vaincue par la nuit qu'elle venait de traverser, elle tenait encore son sac serré contre sa poitrine. Sa robe était déchirée, maculée de sang. Elle émergeait de la forêt, perdue et paumée, prête à mourir peut-être, elle n'en savait plus rien. Ses longs cheveux blonds, humides et sales, tombaient raides sur ses épaules, encadraient son visage livide d'où ressortait le bleu perçant de son regard. Son regard apeuré, pétrifié. Elle tressaillait maintenant, soubresautait, se repliait sur elle-même en frissonnant.

Sam demeura appuyé sur le volant, secoué par cette apparition, conscient d'avoir évité de justesse un accident. Il n'avait aucune idée d'où elle pouvait venir. Ils étaient au milieu de nulle part, il n'y avait rien autour, que la forêt, des montagnes abruptes. Elle était comme un fantôme. Qu'elle soit là devant lui, dans cet état, n'avait aucun sens. Il n'y avait pas d'autres routes, pas de maison dans le secteur, la sienne étant la plus proche et encore, à trois kilomètres plus à l'est. Il la regarda et, ce qu'il vit, c'était une jeune femme terrifiée, au corps brisé, une jeune femme qui semblait revenir d'entre les morts, surprise par le lever du jour. Elle donnait l'impression d'avoir traversé l'écran d'un film d'épouvante.

Sam resta figé trois ou quatre secondes, puis il bondit de la Jeep pour se précipiter vers elle. Alexia tenait maintenant à peine sur ses jambes et, quand il arriva à sa hauteur, elle faillit, ses dernières forces cédèrent, l'abandonnèrent d'un coup. Elle s'effondra avec lourdeur, Sam la rattrapant de justesse dans ses bras, un poids mort.

Elle était amochée, il le voyait bien. Elle tremblait, surtout à cause de la fatigue et de l'épuisement. Elle bougea les lèvres, essaya de parler, mais sa voix se cassa, sa gorge était râpeuse, desséchée. Sam l'aida à s'asseoir, puis il retourna à la Jeep en vitesse chercher sa bouteille d'eau. De retour près d'elle, il s'accroupit, lui donna à boire par petites gorgées.

— Qu'est-ce qui s'est passé ? il demanda.

Les yeux d'Alexia s'embuèrent, mais elle secoua la tête pour toute réponse.

— Il va falloir aller à l'hôpital, il dit.

À ces mots, à la pensée de se retrouver à l'hôpital, Alexia sentit une intense panique s'emparer d'elle. Sa respiration se fit haletante, son rythme cardiaque accéléra, ses membres s'engourdirent.

— N-n-non, elle bafouilla, p-p-pas, pas l'hôpital !

— On aura pas vraiment le choix.

Quelque chose alors se brisa en elle, un ressort, un élastique trop tendu qui casse, qui claque sèchement. Alexia se mit à crier, à hurler, elle entra dans une rage folle, hallucinée, son corps entier fut pris de convulsions, ses bras et ses jambes allaient dans tous les sens malgré les fulgurantes douleurs qui la traversaient, ses membres fouettaient l'air, prêts à tout défoncer.

Sam recula d'un pas pour ne pas en prendre plein la gueule, ses réflexes étaient bons, il évita ainsi une volée de coups furieux. Seulement, il ne demeura pas sans rien faire, craignant qu'elle se blesse davantage. D'un mouvement rapide, vif, il se glissa derrière elle, la serra contre lui. Alexia se débattit de toute son énergie restante, mais elle faiblit vite, et Sam la retint en lui bloquant les bras, la maintenant avec fermeté sans toutefois chercher à trop la contraindre. Il ne voulait pas qu'elle se sente prise au piège, il voulait qu'elle se calme, non pas que sa crise augmente, reparte de plus belle. Il commença à lui parler à l'oreille, d'une voix posée, un chuchotement rassurant :

— Chut, ça va aller. C'est terminé, d'accord ? Il n'y aura pas d'hôpital, c'est compris. Ça va aller, ça va aller. Je te veux pas de mal. Je suis là pour t'aider. Ok ? Je m'occupe de toi. Respire doucement, calme-toi, respire, respire.

Presque aussi rapidement qu'elle s'était emportée, Alexia se détendit. Elle s'était enflammée d'un coup, elle s'éteignit aussi vite. Avait-elle le choix ? Pouvait-elle faire autrement que de donner sa confiance à cet homme, cet inconnu ? Non. Pas dans l'état actuel des choses. Elle était rassurée par sa présence, mais également craintive, déboussolée. Sa gorge était nouée, son cœur palpitait, manquait des battements, et des spasmes secouaient ses muscles. Son épaule et son bras droit lui faisaient un mal de chien.

Sam sentit qu'elle s'abandonnait dans ses bras. Elle lâchait prise. Il desserra son étreinte. Son tee-shirt et son jeans étaient maintenant tachés de sang. Des flashs explosèrent dans sa tête, devant ses yeux, mais il les chassa de son esprit. Ce sang sur ses vêtements, ce n'était rien, un détail. Mais il le ramenait ailleurs, le projetait en Afghanistan cinq ou six ans plus tôt, en train d'essayer de sauver la vie d'un de ses meilleurs amis.

— Comment tu t'appelles ? il lui demanda.

— A-Alexia, elle répondit, la voix faible, en baissant le regard.

— Moi, c'est Sam. Écoute, Alexia, je vais t'emmener chez moi, d'accord ? On va prendre soin de tes blessures. Après, tu pourras te reposer. On verra pour la suite. Est-ce que ça te va ?

Elle releva les yeux, le fixa longuement sans un mot, comme si elle cherchait à le sonder, à le décoder, à lire en lui.

Sam ne lâcha pas son regard d'une seconde. Les yeux d'Alexia étaient d'une beauté troublante, un bleu océanique, immense. Il y voyait la douleur, la peur, surtout, qui l'envahissait, le doute aussi, enfoui tout au fond. Elle hésitait, elle le jaugeait, elle se demandait si elle devait le suivre ou non, quels étaient les risques qu'elle courait.

Sam lui sourit.

— Je suis pas méchant, si c'est ce que tu penses. Je sais pas ce qui t'est arrivé, mais t'es dans un sale état. Je vais pas te laisser ici. Je te le répète, je te veux pas de mal. Tu peux me croire, je veux juste t'aider.

Alexia hocha la tête. Le geste était faible, presque imperceptible. Il avait raison. Elle ne pouvait pas rester là. Elle avait mal partout, elle était épuisée, crevée, elle ne se sentait plus la force de lutter. Tout bien considéré, elle n'avait pas d'autre choix que de le suivre. Le suivre ou alors rester là et se laisser mourir. Des larmes coulèrent sur ses joues, traçant des rigoles sur la saleté et le sang qui couvraient son visage. Elle ferma les yeux. Elle se mit à frissonner. Pourtant, la chaleur du jour naissant était déjà forte. Elle avait froid, ses os étaient glacés. Son épaule droite, atrocement douloureuse, son bras, inutilisable. Elle aurait aimé que rien de tout ça n'existe, que rien de tout ça ne soit réel, elle aurait voulu disparaître dans un cocon chaud comme elle l'avait déjà si souvent souhaité. Seulement, cette part d'elle qui tenait à la vie, qui s'accrochait malgré les épreuves, l'emportait encore une fois sur le vide.

Elle ouvrit les yeux, parut surprise de voir Sam encore là, accroupi près d'elle.

Il lui sourit de nouveau.

Il attendait. Il l'observait. Alexia n'en savait rien, mais il aurait pu passer la journée comme ça, puis la nuit, et la journée suivante sans broncher, sans bouger d'un poil. Il était entraîné pour ce genre de truc. Entre autres.

— Alors ? il demanda. C'est d'accord ?

Alexia hocha la tête une seconde fois, de manière plus assurée.

— D'accord.

9

Trois autres kilomètres qu'il fallait parcourir pour se rendre à la maison. Sam roula avec précaution, à basse vitesse.

Il avait enveloppé Alexia dans une couverture et elle s'était étendue de son mieux sur la banquette arrière, en souffrant, tenant toujours son sac à main comme un objet précieux contre elle. Tout ce qui restait de sa vie était contenu là-dedans.

Derrière le volant, Sam avait ajusté le rétroviseur de manière à avoir l'œil sur elle. Il avait remis la musique, le son au minimum, encore Holubowski. Cette fois, c'était *A Home That Won't Explode* qui jouait.

À l'arrière, Alexia somnolait, bercée par les cahotements.

Lorsque Sam se gara dans l'entrée, derrière la maison, elle s'était endormie.

10

Il sortit de la Jeep et s'étira. Le lac s'étendait devant lui, en bas du terrain en pente douce, d'un calme parfait. Une nappe de brume planait à sa surface. Plus loin, à l'horizon, le ciel s'embrasait. Il était en paix à cet endroit, il avait trouvé un rythme qui lui convenait après toutes ces années à côtoyer l'enfer. Il avait acheté ce terrain et cette baraque isolée, l'avait retapée du solage au toit alors qu'il n'y connaissait que dalle. Il s'en était plutôt bien sorti, au bout du compte. Il avait appris, s'était adapté comme toujours il avait su le faire, maintenant il connaissait les bases de la plomberie et de l'électricité, il pouvait travailler le bardeau et poser un parquet en bois franc ou de la céramique. Ce n'était pas que ça l'amusait, mais ces rénovations l'avaient aidé à reprendre sa vie en main.

Du bout de son pied droit, il traça des formes géométriques sur le sol, sur la terre sablonneuse. Il était nul en dessin, il en était encore aux bonshommes allumettes quand il griffonnait, mais les formes géométriques, ça allait. Il en faisait en mission, durant les longues heures à attendre. Il traçait des suites logiques sur le sable ou la terre, en silence, il gardait son esprit en éveil. Carré. Triangle. Rectangle. Losange. Cercle. Carré. Triangle. Rectangle. Losange. Cercle. C'était simple, précis, sans fin. Il s'appliquait pour que chacune des formes soit impeccable, parfaite. Il avait conservé l'habitude. Certains de ses carnets de notes étaient remplis de ce genre d'exercice. Quand sa concentration déconnait, quand il n'arrivait pas à écrire, il revenait à ça. Doug, son ami, un des meilleurs tireurs d'élite qu'il ait connus, comptait dans sa tête pour passer le temps. De zéro à mille, puis à rebours. Il faisait des calculs aussi. On pouvait lui demander d'additionner, de soustraire, de multiplier ou de diviser n'importe quel nombre, il y arrivait en moins de cinq ou six secondes, une machine. Quand ils rentraient au camp, à Kandahar ou à Kaboul, il se lançait dans des sudokus compliqués alors que d'autres se détendaient en jouant à NHL 08 sur la Xbox 360. Pour Doug, descendre un insurgé était aussi un truc mathématique, un calcul complexe où aucune erreur n'était permise, où il fallait tenir compte d'un tas de facteurs, dont la distance, la direction du vent, la force de Coriolis. Et il fallait faire vite tout en demeurant *relax. Slow is smooth, smooth is fast.* Abattre un terroriste, disait Doug, surtout sur une longue distance, était un problème de maths qu'il fallait résoudre dans la plus complète froideur, avec un calme olympien, tout en réfléchissant à la vitesse de l'éclair. Pour Sam, qui appartenait à l'équipe d'assaut, c'était surtout l'éclair qui comptait, la violence de l'action. Tuer un de ces salopards faisait partie de son job et, avec ou sans calcul, il s'en sortait très bien, il leur rentrait dedans.

Il effaça d'un coup sec la série de figures géométriques qu'il venait de tracer. De nouveau, il regarda vers l'horizon, vers le large, il enfonça les mains dans les poches de son jeans.

Chaque jour, il pensait à Doug. C'était son ami, un des gars avec qui il avait achevé sa formation dans les *SF*[1], son binôme lors de plusieurs missions. D'une certaine manière, c'était à la fois le privilège et la malédiction de ceux qui avaient survécu. Le sang de la fille sur ses vêtements, le sang d'Alexia, c'était ça qui le ramenait à Doug. Il était mort à présent. Il était tombé au combat, lors d'une mission dans la vallée de Tangi, province du Wardak, en Afghanistan. Une embuscade qui les avait vus pris sous les feux croisés des tirs ennemis, sous les explosions incessantes des lance-roquettes. Un an plus tôt, un hélicoptère de l'armée américaine – nom de code *Extortion 17* – rempli de Navy SEALs et de membres des Forces spéciales afghanes avait été abattu dans cette même vallée. Un tir de roquettes, un coup chanceux des talibans. Trente-huit hommes étaient

1. *Special Forces.*

morts, des hommes de valeur, fauchés en plein ciel. Cette fois, il semblait que c'était à leur tour d'y passer. Une mission de reconnaissance qui avait eu pour but de dénicher – et de dégommer si possible – un leader taliban tournait maintenant à la catastrophe. Grâce au soutien aérien, ils avaient réussi à reprendre le dessus. Sam et les autres membres de l'équipe s'en étaient sortis, mais non sans dommage. Doug y était resté. Ils avaient tenté l'impossible pour le sauver en attendant l'évacuation. Le doc de l'unité s'était battu jusqu'à la fin, jusqu'au dernier moment. En vain. Doug avait eu les jambes arrachées par une explosion, il perdait trop de sang, il n'avait pas tenu jusqu'à la base, jusqu'à la salle d'opération. D'une manière ou d'une autre, il était trop tard, les médecins qui l'avaient pris en charge avaient affirmé que Doug n'aurait pas survécu.

Une brise tiède effleura le visage de Sam. Avec d'autres gars, il avait aidé à transporter Doug jusqu'à la zone d'extraction. Il lui avait parlé, lui avait tenu la main, était demeuré à ses côtés jusqu'au bout. Juste avant de sombrer, Doug avait plongé ses yeux – où demeurait une minuscule flamme de vie – dans ceux de Sam, il avait esquissé un semblant de sourire, il avait dit: « *I'm all right, buddy. Don't you fucking worry, my friend. I'm all right. It's all good.* » Ça avait été la fin.

Sam renifla un coup et, du pied gauche cette fois, il traça le signe de l'infini, le 8 horizontal, à répétition. L'infini. Merde.

Doug. C'était bien lui, ça.

I'm all right, buddy. It's all good...

Sam s'arrêta, leva les yeux au ciel. C'était un petit matin parfait, transparent. Un jour neuf et brillant. Et il était en vie. Il considérait cette chance le plus sérieusement du monde.

Parfois, il s'attendait presque à devoir affronter la mort à nouveau.

Mais pas ce matin. Ce matin, c'était autre chose. Le calme avait le parfum de la rosée.

Il se retourna vers la Jeep.

Alexia était réveillée. Assise sur la banquette arrière, elle le regardait, ses yeux grands ouverts, en se tenant l'épaule, son épaule qui pendait d'une drôle de manière.

Elle était belle, il pensa, étrangement belle, et sa beauté atypique était frappante malgré tout ce sang séché et la poussière sale qui la recouvraient.

Sam inspira profondément. Il se demanda où ça allait le mener.

11

Alexia poussa un cri.

La serviette qu'elle serrait dans sa main gauche tomba sur le carrelage froid de la salle de bain.

Sam avait dit au compte de trois, mais à deux, il lui remit l'épaule en place. Il s'était d'abord assuré qu'elle n'avait pas de fracture. Un examen complet en radiologie aurait été préférable, mais il fallait faire court. Puisqu'elle refusait l'hôpital, il y avait la médecine de brousse et celle que Sam connaissait, la médecine de combat. Il en savait assez pour réparer les dommages sans les aggraver. Dans le cas présent, il s'agissait de tirer le bras dans l'axe et dans la bonne position de façon que la tête de l'humérus reprenne sa place dans sa cavité articulaire.

Une, deux, clac !

Le trois resta muet, suspendu.

Pour Alexia, la douleur fut instantanée, presque insoutenable, elle se répandit dans chaque fibre de son corps comme un éclair. Elle perdit le souffle, s'accrocha à Sam et manqua de s'évanouir. Elle se retint pour ne pas fondre en larmes en se mordant les lèvres.

— C'est terminé, il fit alors qu'elle reprenait peu à peu ses esprits.

Dans la pharmacie, il avait des comprimés de morphine. Un an plus tôt, il avait subi une opération chirurgicale au bas du dos, ses vertèbres lombaires étaient en mauvais état, rien de surprenant vu la manière dont il avait traité son corps durant les vingt-cinq dernières années. On lui avait remis la morphine alors qu'il quittait l'hôpital. Il n'y avait pas touché. Il avait préféré endurer la douleur, la saloperie de drogue le faisait décoller au plafond et ça n'avait rien d'agréable. La douleur, il savait gérer, suffisait de serrer les dents. *Suck it up.* Il lui tendit un comprimé avec un verre d'eau.

— Prends ça. Ça va t'assommer pour un moment, je crois que t'en as besoin.

— Merci.

Elle le porta à sa bouche d'une main tremblante et l'avala.

Sam avait nettoyé et désinfecté les blessures d'Alexia. Son genou droit et ses pieds surtout étaient lamentables. Il avait fait de son mieux avec les moyens à sa disposition, extrayant un à un les échardes et les fragments de roche fichés sous la peau, asséchant les ampoules ouvertes, retirant des multiples coupures les saletés incrustées.

De toutes les blessures, c'était l'entaille à la tête, à la limite du cuir chevelu, qui inquiétait Sam. Cependant, elle était plus impressionnante que grave et, avec des pansements de rapprochement, il avait été en mesure de faire un travail quasi irréprochable.

On était loin d'une chirurgie esthétique, mais pour peu qu'elle fasse attention, elle n'en porterait pas de grosse cicatrice. Pour le reste, il s'agissait de blessures superficielles, brûlures de friction, contusions, ecchymoses, rien de majeur. Peu importe ce qui lui était arrivé – elle n'avait encore rien dit à ce sujet –, elle avait eu de la chance.

Bien sûr, il y avait la luxation de l'épaule. La douleur était aiguë et il avait voulu s'en occuper en premier, mais Alexia l'avait prié d'attendre, elle redoutait l'instant même si chacun de ses mouvements lui faisait serrer les dents.

En entrant dans la maison, il l'avait conduite dans la salle de bain et, tandis qu'elle se lavait tant bien que mal sous le jet tiède de la douche, vacillante, cherchant à maintenir son équilibre, il était allé prendre des vêtements dans la chambre de Clara. Il avait trouvé un pantalon de yoga ample et un de ses vieux tee-shirts que sa fille mettait pour dormir quand elle était de passage. Dans le tiroir supérieur de la commode, il avait déniché une petite culotte. Ça ferait l'affaire pour le moment.

— Tu peux bouger ton bras ? il lui demanda.

Elle le fit en douceur. C'était raide, ça élançait, elle sentait un engourdissement au bout de ses doigts, mais le bras et l'épaule bougeaient.

— Oui. C'est douloureux, mais ça semble aller.

Sam hocha la tête. Il prépara ensuite un pansement, qu'il appliqua sur une large écorchure à l'avant-bras de la jeune femme, écorchure qu'il prit soin de couvrir d'un onguent antiseptique.

— La morphine va faire effet, il dit. Tu vas pouvoir dormir et te reposer.

Elle approuva.

Sam termina le bandage sans un mot. Assise sur le rebord de la baignoire, Alexia le regardait.

— Je suis désolée. Je veux pas te causer d'ennuis.

— T'as pas à être désolée.

Il se releva, rangea les pansements, l'onguent, tout le bazar dont il s'était servi dans l'armoire à pharmacie, puis il aida Alexia à se remettre debout.

— Je te montre la chambre, d'accord ?

12

La chambre de Clara était située sous la mezzanine. C'était une pièce douce, colorée, que Clara avait aménagée lorsqu'elle avait quinze ans, alors que Sam venait de terminer le gros des rénovations et qu'elle le rejoignait pour son premier séjour. Il lui avait laissé carte blanche pour la décoration, c'était sa pièce à elle, elle en faisait ce qu'elle voulait. Elle avait choisi les meubles, la peinture, les stores. Les rideaux, blanc crème, étaient d'une délicate légèreté. Près du bureau se dressait une bibliothèque qu'elle garnissait de bandes dessinées et de nouveaux livres à chacune de ses visites. Des bibelots et des porte-bonheurs étaient disséminés partout, un husky en peluche que Sam lui avait offert des années plus tôt était assis sur le fauteuil, tranquille dans l'angle du mur, donnant l'impression de monter la garde.

Près de la fenêtre, le mur était couvert de cadres. C'étaient des photographies d'elle et de Sam à différents moments de leurs vies, de sa naissance, petite souris endormie dans les bras géants de son père, à la plus récente qu'elle avait accrochée en juin dernier, prise au pied du mont Hood, en Oregon, où ils avaient passé quelques jours de vacances de ski entre Noël et la nouvelle année.

La chambre de la jeune femme était imprégnée à la fois d'adolescence et de maturité.

Soutenue par Sam, Alexia s'arrêta sur le pas de la porte. Elle fut frappée par la beauté simple, rafraîchissante, de la pièce, par sa luminosité naturelle, le parfum qui y planait, sa candeur, son innocence. Elle avait l'impression d'une chambre qu'elle aurait rêvée il y avait longtemps. Une réminiscence ? L'effet du narcotique qu'elle venait de consommer ? Elle se sentait molle tout à coup, mais bien, merveilleusement bien, fatiguée aussi. Elle laissa Sam la conduire vers le lit, où elle s'assit puis s'étendit. C'était comme si elle avait enchaîné trois marathons l'un à la suite de l'autre et que son corps, tendu et raide, se relâchait complètement pour la première fois depuis des heures, voire des jours. Elle se sentait avalée par le matelas, elle s'enfonçait dans une mousse chaude et confortable.

— Ta fille..., elle s'entendit dire à Sam. Ta fille... Elle... elle..., ça va pas la déranger que je sois là ?

Il secoua la tête.

— Clara habite en Oregon, avec sa mère. Ça la dérangera pas, elle va rien dire.

Alexia regarda Sam. Il souriait. Elle remarqua une certaine tristesse dans son sourire. C'était peut-être juste une impression. Elle le trouvait mystérieux. Pourtant, cela ne l'inquiétait pas. Sa vue devenait floue. Elle frissonna, tenta de sourire à son tour, mais ses yeux, ses yeux se fermaient malgré elle, ses paupières pesaient des tonnes.

— Repose-toi.

Sam alla baisser le store, tira les rideaux. Il quitta la chambre.

Alexia ouvrit la bouche pour le remercier. Aucun son ne sortit.

Autour d'elle, la pièce commença à s'embrouiller. À tanguer.

13

— Papa ?

Elle le voyait, debout au pied du lit. Son père. Il la regardait, les mains dans les poches de sa salopette de travail. Il était là devant elle, elle se demandait comment cela pouvait être possible. Il ne disait rien. Il ne bougeait pas. Quand elle était petite, tout le monde lui répétait combien son père l'aimait. Ça avait toujours été dur à croire puisqu'il ne le lui avait jamais dit.

Pas qu'elle s'en souvienne, en tout cas. Mais ses souvenirs d'enfance étaient assez clairs. Sa mémoire était bonne.

Elle se rappelait cet après-midi d'automne. Elle devait avoir cinq ans. Elle n'était pas encore Alexia à ce moment. Enfin, personne ne la voyait comme telle. Elle était seule à savoir, à y croire. À y croire fermement.

Ce jour-là, la colère de son père avait éclaté. C'était terminé, ces jeux absurdes, ça suffisait. Il avait pris tous ses jouets, ses poupées, ses peluches, ses robes et ses livres, toutes ces *choses* de *fille,* et les avait mises dans une grande boîte en carton.

Il irait porter cela à un organisme de charité. Terminé, les enfantillages.

Sa mère n'avait pas dit un mot. Grand-maman non plus. Elle avait les mains posées sur les frêles épaules d'Alexia. Alexia qui pleurait en silence en regardant son père. Elle reniflait.

Il avait gueulé :

— Cesse de pleurer comme une chochotte, *Alexis* !

Une chochotte.

Alexis.

Elle n'était pas Alexia, à cinq ans. Elle ne le serait définitivement pas avant des années. Elle n'était pas *elle,* elle était *lui.* Lui, Alexis. Même si, au plus profond de son être, elle ne l'acceptait pas et ne l'accepterait jamais.

Maintenant, elle voyait son père qui pleurait dans cette chambre. Où était-elle au juste ? Elle n'en savait rien. C'était confus.

Ça n'avait aucune importance, pourtant.

— Pourquoi, papa ?

— Je suis désolé, Alexia.

Non. C'était elle qui était désolée.

Tout le monde, grand-maman en particulier, lui disait que son père l'aimait. Mais il était mort avant de pouvoir le lui démontrer, avant de pouvoir le lui exprimer de vive voix. En aurait-il été capable ? C'était difficile à imaginer. Il ne faisait que gueuler contre elle avant de mourir. Il l'avait forcée à être ce qu'elle ne voulait pas. Elle refusait d'être un garçon. Le temps des jeux innocents était terminé, il lui disait. Elle devait s'y résoudre. Elle était désolée. Elle ne lui en voulait pas aujourd'hui. Comment pouvait-il comprendre? Elle-même ne comprenait pas ce qu'elle ressentait à cette époque, ce qui bouillait en elle, dans son corps, dans sa tête, la vérité qu'elle ressentait et qui demandait à éclore. Devait-elle avoir honte d'elle-même? Elle était un garçon, c'était comme ça qu'elle était née, elle n'y pouvait rien, mais tous ses désirs, ses rêves, ses espoirs, tout ça était perdu. Ils. Étaient. Perdus.

Après l'accident sur le chantier, après le décès de son père, elle avait continué d'être Alexis, d'être qui elle *devait* être aux yeux des autres. Pas à ses yeux.

— Pourquoi tu m'as laissée comme ça, papa?

Il ne répondit pas, baissa la tête, sembla reculer, s'effacer dans la semi-obscurité, il devint une ombre, une simple silhouette à peine apparente, en filigrane sur le mur.

Entre veille et sommeil, à travers les spasmes violents de ses muscles, dans la brume cotonneuse et les effets du narcotique décuplés par la fatigue, Alexia glissait dans ses souvenirs.

La banlieue où elle avait grandi, cette ville anonyme, triste et grise, un de ces endroits où les gens vivaient et mouraient sans qu'il se passe rien d'extraordinaire dans leur vie, entassés dans des maisons toutes semblables. Elle, Alexia, ou plutôt Alexis, ressortait du lot. L'école lui était pénible. Alexis parlait, marchait comme une fille. Il se faisait harceler et battre. On se moquait de lui. Alexia tentait de se faire discrète, mais ce n'était pas simple. Elle ne pouvait pas se renier, elle ne pouvait que s'effacer, se faire toute petite. Mais elle demeurait là, juste sous la surface, parfois plus apparente aux yeux des autres gamins qu'elle ne l'aurait souhaité. Au fil des ans, elle réalisait qu'elle ne pourrait jamais être elle-même, que cela semblait impossible. Elle ne voyait aucun chemin, aucune issue.

Ce qu'elle était devenue à présent. Une femme. Dans cette chambre. Sur ce lit. Dans cette maison. Elle était une femme, oui, mais une femme blessée. Brisée.

Elle vit la silhouette bouger près du mur, son ombre.

— Papa ?

Rien.

À dix ans, elle s'était lancée dans le sport pour s'affirmer, se démarquer. *Elle* était grande pour son âge. Elle avait du talent au basket-ball, au soccer. Elle courait vite. Elle détestait les sports d'équipe, mais elle s'y obligeait. Elle y marquait des points auprès des jeunes de son âge, elle avait découvert qu'on la laissait tranquille ainsi. Alexis prenait parfois le dessus.

Elle vivait chez grand-maman. Sa mère travaillait de nuit et c'était plus simple d'être chez grand-maman. Elle le préférait aussi. Là, au moins, elle était bien. Grand-maman était la seule à l'accepter sans la questionner, sans chercher à la changer. Elle comprenait. Elle la respectait. Chez grand-maman, elle se sentait à l'abri, grand-maman, c'était sa sécurité.

— Maman ?

Sa mère, lorsqu'elle était présente, la couvait du regard, l'acceptait de son mieux. Mais elle était plus distante, plus froide, trop concernée par sa propre personne pour bien prendre soin de son enfant, qu'il fût garçon ou fille. Elle avait ses problèmes, elle naviguait seule dans son monde.

— M'man, c'est toi ?

Non. Il n'y avait personne avec elle. Juste une ombre sur le mur, dans l'air immobile de la chambre, dans l'air chaud saturé de l'été. L'odeur du bois. Le reflet d'un faible rayon de lumière qui passait entre les lattes du store pour terminer sa course sur la surface vitrée d'un cadre. Les photographies sur le mur qui se déplaçaient, qui valsaient dans le flou d'une lente sarabande.

Les images qui lui revenaient la bombardaient.

Les premières années de son adolescence. C'était de la merde. Insoutenable d'être prise au piège, de se sentir étouffée par son propre corps. C'était terrible à endurer. Alors qu'ils aillent au diable, tous ! À la polyvalente, Alexia mettait des collants noirs. Elle utilisait les toilettes des filles. Elle laissait ses cheveux blonds pousser. Portait du rouge à lèvres et du vernis à ongles violet foncé. Allez vous faire foutre ! Tant qu'à manger des coups sur la gueule, autant leur donner une raison. Elle préférait s'affirmer plutôt que de s'écraser. Et, bizarrement, on lui ficha enfin la paix.

Personne ne savait comment la prendre, comment agir avec elle. Elle n'appartenait à aucun groupe, à aucune bande, elle se tenait à droite et à gauche, avec ceux qui voulaient bien d'elle. Elle essayait de survivre. Et elle pensait souvent à la mort dans sa chambre au sous-sol, chez grand-maman. Elle se retenait pour ne pas aller se jeter en bas d'un pont. Elle écoutait The Cranberries en boucle. *Carry On*. Pendant un temps, c'était ce qui la gardait en vie. Cette chanson.

Carry on, carry on / The sun will always shine / Carry on, carry on / We'll have a glass of wine / Or a cigarette.

Elle entendit la musique, lointaine, mélancolique. Elle avait du mal à comprendre où elle se trouvait, ce qui lui arrivait. Cette chambre lui semblait irréelle. Son corps était brûlant, bouillant. Elle était en sueur et elle gelait. On aurait dit que quelqu'un pressait sur son épaule droite, que quelqu'un y mettait tout son poids. Ses paupières étaient toujours aussi lourdes. Elle ne parvenait plus à ouvrir les yeux, ou alors à peine.

À quinze ans, elle voulait être Dolores O'Riordan, la chanteuse des Cranberries. Non. Non, en fait, c'était faux. Elle voulait seulement être elle, libre, mais elle cherchait la magie en Dolores. Une seule fois, elle s'était coupé les cheveux. Comme elle.

Il n'y avait pas d'autre magie que celle de la musique.

Et là, la musique, encore. Mais un *beat* brutal, sauvage, qui s'approchait, s'éloignait, un va-et-vient incessant dans sa tête.

Qu'est-ce que j'ai ? se demanda Alexia dans son délire, croyant entendre sa voix résonner comme dans une caverne.

Les images, les images, les images.

Derrière le centre commercial, le soir. Les hommes qui rôdaient. Ce n'était un secret pour personne, mais personne n'en parlait. Elle y était allée pour la première fois. Elle avait traîné là. Elle portait un jeans, le *hoodie* d'un *band* punk rock, du rouge à lèvres noir. Une voiture s'était arrêtée près d'elle, elle y était montée. Elle n'avait pas regardé l'homme derrière le volant, elle ne l'avait pas regardé dans les yeux, du moins. Il n'était qu'une silhouette, un étranger dans l'obscurité. Elle avait remarqué le siège d'enfant à l'arrière et elle avait eu un haut-le-cœur. Elle avait voulu s'enfuir. Mais. Elle était restée. Ils avaient roulé en silence jusqu'au boisé, de l'autre côté du terrain vague. Il faisait sombre, c'était le début de la nuit. Il lui avait demandé un truc. Il voulait qu'elle lui fasse *ça*. Elle l'avait fait sans réfléchir. Ce n'était pas compliqué, elle s'était débranchée, déconnectée de son propre cerveau, ne conservant que la mécanique des gestes.

Après, elle avait enfoui les billets qu'il lui avait tendus dans la poche de son jeans.

Après, elle était ressortie de la voiture, elle avait mis une gomme aux cerises dans sa bouche.

Après, elle était rentrée chez grand-maman. Et maman était là, elle pleurait. Grand-maman était malade. Voilà d'où venaient ses larmes.

Alexia s'était enfermée dans la salle de bain. Elle avait vomi. Elle s'était lavé les dents. Elle s'était lavé les mains jusqu'à ce que sa peau soit rouge, irritée. Elle pleurait, elle aussi, sans savoir d'où provenaient ses propres larmes. Elle s'était encore lavé les mains, enragée contre elle-même. Elle sentait le sperme. Que valait-elle maintenant?

Une petite pute.

Alexia basculait entre le sommeil et les souvenirs dopés. Elle flottait au-dessus d'eux, tombait dans un trou noir, remontait à la surface. Elle voyait la chambre qui tournait, et elle demeurait étendue en son centre. Impossible de bouger, clouée là. Son esprit vagabondait dans toute la pièce et en elle-même.

Entre l'école et la lente agonie de grand-maman, elle avait poursuivi ses escapades derrière le centre commercial. L'argent qu'elle gagnait à se prostituer, elle s'en foutait. Elle se foutait pas mal de tout. Elle se transformait. Elle était grande, mince, ni garçon ni fille, elle jouait sur l'ambiguïté, gardait une certaine distance avec le réel. Androgyne. Féminine. C'était toujours le féminin qui l'emportait d'une longueur. C'était ce qu'elle était. Ses traits masculins étaient effacés, elle avait *gagné* au moins ça à la loterie génétique. Les transformations hormonales de la puberté l'avaient longtemps inquiétée, effrayée. Elle avait cherché et trouvé le moyen – illégal, bien sûr, elle faisait des passes pour ça, elle avait son fournisseur avec qui elle couchait – de prendre des hormones de synthèse pour supprimer ou, du moins, bloquer le processus. Mais elle se sentait constamment dédoublée. Elle ne voulait plus être Alexis, elle n'arrivait pas totalement à assumer Alexia. C'était la tempête dans son corps comme dans son esprit. Elle camouflait son trouble, son manque d'assurance derrière un masque de défi, des airs d'arrogance. Plusieurs la méprisaient. Elle s'en moquait, mais c'était une façade, ça la brûlait, ça la tuait de l'intérieur. Elle jouait les dures. Elle n'aimait pas l'alcool, elle en buvait. Elle détestait les drogues, elle en prenait. Elle se défonçait. Argumentait avec des enculés qui disaient qu'elle ne devrait pas exister, qu'elle ne devrait pas avoir le droit de se promener dans la rue, au grand jour. Elle se battait. Se faisait battre. Elle baisait aussi. Pourquoi pas ? C'était ça. La merde.

Enfoncée dans le matelas, Alexia ne pouvait pas bouger. Ses membres étaient lourds, son corps comme un bloc de béton. Elle pensait à grand-maman, à la façon dont elle lui avait tenu la main juste avant sa mort, comment elle lui avait caressé la joue et essuyé une larme dans les dernières secondes de sa vie, avant que celle-ci la quitte pour de bon. La peine qu'elle avait eue à ce moment, elle la ressentait encore aujourd'hui. Maman avait repris sa place à la maison. Avec un homme. Alexia avait dix-sept ans. Elle s'était fait pincer pour vol à l'étalage dans une boutique de vêtements pour femmes. Elle avait tenté de fuir, elle avait presque réussi, mais les policiers avaient fini par la coincer. La protection de la jeunesse s'était penchée sur son cas. Alexia était intenable. Elle se balançait du DPJ, il pouvait faire ce qu'il voulait d'elle. Elle serait bientôt majeure. Une semaine plus tard, elle se faisait embarquer pour prostitution alors qu'elle venait de grimper dans la voiture d'un client.

J'aurais dû arrêter à ce moment, elle pensa en essayant de déplacer sa tête sur l'oreiller. *J'aurais dû arrêter là. À ce moment.*

Elle ouvrit les yeux, les referma. Ses paupières papillotaient. Avec des ailes de plomb.

À nouveau, l'ombre bougea sur le mur de la chambre, face au lit. Elle avança, recula. Passa de gauche à droite. Des bruits de pas, feutrés.

— Qui est là?

Pas de réponse.

— Que comptes-tu faire, *Alexia*?

L'intervenante qui s'occupait de son dossier au Centre jeunesse était la première à l'appeler par son nom. Celui qu'elle avait choisi. *Alexia.* C'était la première personne à lui tendre l'oreille, à l'écouter, la première à qui Alexia pouvait accorder sa confiance depuis le départ de grand-maman. Suzanne serait sa bouée de sauvetage pour un temps. Ce serait elle qui l'amènerait à se questionner, à s'analyser, à se reprendre en main. Elle qui l'aiderait à entreprendre les premiers pas vers sa véritable transition. Elle qui lui confirmerait qu'elle était une femme transgenre, qu'il était possible de vivre ainsi. D'avoir une vie, SA vie, libre. Qu'il n'y avait nul besoin de se traîner dans la boue ni de vendre son corps pour y arriver, qu'elle devait se tenir droite et fière.

À présent, cela lui semblait si loin. Alexia réussit à bouger la tête. Elle sentit des décharges électriques passer de son crâne à ses jambes, des décharges qui traversèrent sa colonne vertébrale. Elle sentit un poids se poser au pied du lit. Le plancher qui craquait, le sommier qui grinçait. Quelqu'un qui s'assoyait là, près d'elle.

— Papa?

Elle ouvrit les yeux, releva légèrement la tête.

Frank était là. Il lui souriait.

Un charognard.

— Salut, salope.

14

Le mouvement des étoiles dans le ciel. Les mouvements tranquilles de la nuit.

Sam était éveillé. Il resta un instant assis sur son lit, songeur. Un rêve qu'il n'arrivait pas à se rappeler et qui lui laissait une drôle d'impression. Ce n'était pas inhabituel chez lui, ces rêves qui l'assaillaient. Des trucs de fous dont il ne se souvenait à peu près jamais, sinon par une succession d'images fragmentées, décalées.

Il se leva, enfila un vieux pantalon de jogging en coton usé, coupé aux genoux, descendit l'escalier sans faire de bruit. Il s'arrêta un court instant devant la porte de la chambre de Clara. Il entendit les faibles geignements d'Alexia dans son sommeil. Pas une seule fois depuis ce matin elle ne s'était réveillée.

Il regarda sa montre. 2 h 43. Ça faisait un sacré moment. Lui n'avait plus sommeil. Il ne dormait plus beaucoup depuis longtemps, quatre ou cinq heures par nuit suffisaient. Il passa à la cuisine, se remplit un verre d'eau, puis il sortit sur la terrasse.

Il alla s'appuyer sur la balustrade, il resta là, accoudé. Il avait songé à embarquer son portable ou un carnet pour écrire quelques lignes, voir ce qui en sortirait, mais il y renonça. Il observa le lac, ses reflets, les montagnes qui s'y miraient comme dans un miroir, le croissant de lune, les étoiles. Il ne s'en lassait pas. En fin de matinée, il avait discuté avec Danny au téléphone pour l'informer de la situation. Il lui avait parlé d'Alexia, il lui avait révélé ce qu'il savait à propos de cette fille, c'est-à-dire peu de chose.

— Je vais prendre un jour ou deux pour voir de quoi il retourne. C'est ok pour Rose et toi?

— C'est bon, mon frère. T'inquiète pas. Rose est en pleine forme, elle suit le plan et elle crache du feu. Tout est bon.

— Je te donne des nouvelles, fit Sam avant de raccrocher.

Le combat de Rose était dans trois semaines au Centre Bell, à Montréal. Un gala UFC qui lançait la saison, en septembre. C'était Danny qui l'entraînait, mais Sam supervisait la boxe. Il se débrouillait dans les arts martiaux, il en connaissait pas mal en jiu-jitsu, mais c'était la boxe, son domaine. Durant le printemps et une bonne partie de l'été, il avait travaillé là-dessus avec Rose, et elle avait fait de sérieux progrès. Il n'aimait pas la laisser tomber comme ça, n'empêche, elle allait être capable de se débrouiller sans lui pendant deux jours, ce n'était pas la fin du monde. Rose était une battante, il n'était pas inquiet, elle n'allait pas se relâcher, au contraire, elle mettrait les bouchées doubles. Ce qu'elle devait faire, elle le ferait, qu'il soit présent ou non. Tout venait d'elle. Danny et lui se contentaient de la guider, ils procédaient aux ajustements nécessaires, ils supervisaient l'ensemble, mais c'était elle qui montait au front et elle ne rechignait jamais, elle en redemandait, parfois il fallait même lui suggérer de mettre la pédale douce.

Alors qu'Alexia dormait, il avait passé l'après-midi à bosser sur le terrain, il en avait profité pour réparer des trucs mineurs autour de la maison, en prenant note de certains travaux plus lourds à effectuer avant la fin de l'automne et l'arrivée de l'hiver. Il avait veillé régulièrement à ce qu'Alexia aille bien, s'assurant qu'elle n'avait besoin de rien, d'aucun soin urgent. Il voulait que tout demeure sous contrôle. Il avait entrouvert la porte de la chambre à quelques reprises pour juger de son état. Il s'était interrogé aussi à son sujet, sans trop se casser la tête cependant. À quoi bon ? Il avait un tas de questions à lui poser, mais elle ne pouvait y répondre pour le moment. Quand elle irait mieux, ils éclairciraient les choses. Ça ne servait à rien de se perdre en suppositions, en conjectures. Étant donné l'état de choc dans lequel Sam l'avait trouvée, il avait jugé bon de ne pas la bousculer, de lui laisser le temps de reprendre ses esprits.

Il y avait cette souche sur le terrain, près du lac. Il s'était concentré là-dessus. L'arbre, un chêne immense, s'était brisé à l'automne lors de grands vents. Sam l'avait débité, il avait récupéré le bois de chauffage qu'il pouvait, et les morceaux décatis, il les avait brûlés sur la plage avant la première neige. Il devait maintenant arracher la souche, l'extraire du sol, un travail qu'il remettait depuis un moment. Il allait s'y attaquer. Il était remonté vers le garage pour préparer ses outils, il les avait placés dans la brouette avant de redescendre : une pelle à long manche, une pelle courte, une pioche, une hache parfaitement aiguisée. Il avait dégagé l'espace autour de la souche, il avait creusé jusqu'à la tombée du jour, absorbé par son travail, avant de s'arrêter et de rentrer à la maison pour se doucher.

De la terrasse maintenant, sous le ciel étoilé, il regardait le boulot accompli à la fin de la journée. Il avait avancé, mais c'était loin d'être terminé. Les racines s'étendaient creux, elles étaient profondes. Sam en viendrait à bout, aucun doute, sauf qu'il restait un bon travail de bras à effectuer. Ensuite, il s'agirait d'enchaîner la souche derrière la Jeep pour la sortir et en finir une fois pour toutes. Sans Alexia à la maison, il aurait poursuivi jusqu'à ce que tout soit terminé. Mais il devait avoir l'œil sur elle. Il reprendrait plus tard.

Il releva les yeux et porta de nouveau son regard vers le lac, les montagnes. Il se sentait bien ici. Après avoir quitté l'armée et les Forces spéciales, après avoir tourné le dos à ce qui avait constitué la plus grande partie de sa vie, il avait eu l'impression de tomber, d'être en chute libre, un saut sans parachute, sans possibilité, à ce qui lui semblait, de s'accrocher à quoi que ce soit. Son mariage était un échec et sa fille vivait loin maintenant. Il la voyait peu, trop peu. Il se sentait coupable. Il avait songé à se rapprocher d'elle, mais il ne savait pas ce qu'il aurait pu fabriquer là-bas, en Oregon. En réalité, il aurait pu y faire un paquet de choses. Il y avait l'océan Pacifique et les montagnes, Sam aurait parfaitement pu s'arranger dans ce coin du monde et vivre près de Clara. Seulement, il en avait eu assez de bourlinguer, et sa vie était ici. Clara grandissait, elle suivait son propre chemin, traçait sa route. Il serait toujours là pour elle, elle le savait, mais il n'avait plus besoin de lui tenir la main. Il ne l'avait pas souvent fait, d'ailleurs, ce n'était plus le temps d'y changer quoi que ce soit. Ici, il y avait Danny, et Rose, et l'Académie Shōri. Il aimait bosser là. À l'adolescence, c'était par la boxe qu'il avait canalisé le chaos et les tempêtes qui l'habitaient, le feu intérieur qui le brûlait. Il avait connu une carrière amateur respectable, il avait remporté des championnats. Dans les Forces spéciales, il avait touché à un tas d'autres formes de combat, mais la boxe avait toujours eu sa préférence. Au Shōri, il avait recommencé pour son seul plaisir. Et puis, être *coach* pour les plus jeunes l'avait aidé à reprendre ses marques dans la vie civile. Danny et Rose l'avaient épaulé dans les moments creux et, quatre ans plus tard, il menait sa vie d'une façon simple, mais qui lui convenait. Il avait eu la chance de trouver cette baraque isolée avec son terrain immense et ces grands arbres, cette plage minuscule où il avait pris l'habitude de faire des feux de camp le soir. Personne ne venait l'embêter ici. D'une manière générale, après ce qu'il avait connu à la guerre, il préférait se tenir loin des hommes. Il n'aimait pas les gens, n'aimait pas les fréquenter. Il préférait se tenir à distance de la société autant que possible, du moins, ne pas y passer trop de temps. Il pouvait y vivre, certes, y fonctionner, mais il demeurait sur ses gardes, il savait à quelle vitesse tout pouvait basculer, comment, d'un claquement de doigts, le monde pouvait partir en couille. Il connaissait les monstres tapis dans l'obscurité. Et ceux-ci pouvaient apparaître à n'importe quel instant pour réclamer leur part de chair et de sang.

Il avait retapé la maison sans se presser, en apprenant sur le tas. Danny lui avait filé un coup de main, mais, pour l'essentiel, Sam s'était arrangé seul. Il avait installé sa chambre sur la mezzanine de manière à avoir une vue imprenable sur le lac et le paysage, peu importe les saisons, et il avait aménagé l'autre chambre pour Clara, lorsqu'elle viendrait. Les nuits où le sommeil lui manquait, il écrivait, soit à la main, soit sur son portable. Il préférait à la main, ça lui semblait plus fluide, plus naturel, ça coulait de source. Il couvrait de longues pages sombres, exorcisait ses démons. Il n'avait aucune idée de ce que ça valait, mais il s'en foutait, écrire l'emmenait ailleurs, lui faisait voir le monde sous un autre angle, lui donnait une autre perspective. Il y avait ces horreurs enfouies en lui, des choses que la plupart des gens ne pouvaient même pas imaginer, mais aussi des éclats de lumière d'une puissance formidable, des instants de pure beauté qu'il conservait en mémoire, et c'était en cela qu'il puisait sa force et qu'il s'accrochait, qu'il arrivait à retrouver sa liberté.

Il était tranquille dans cette maison. Pour la première fois depuis longtemps, il se sentait chez lui. Il en prenait conscience chaque jour. Comme ça, en regardant les étoiles, il se disait que le temps pouvait s'arrêter. Il avait retrouvé une paix intérieure. Elle n'était pas parfaite, mais elle était là, présente. Il pensa à Clara et ça le fit sourire. Sa fille lui manquait, c'était fou. Mais elle était heureuse où elle vivait. Ça lui suffisait. Il avait raté des pans entiers de son enfance, de son adolescence, et il s'en voulait. Il avait rattrapé les bouts qu'il pouvait, il avait recollé les morceaux de son mieux, il lui avait écrit tous les jours quand il était déployé, alors même que la poussière des bombes n'était pas retombée, que les douilles en cuivre roulaient encore sur le sol, à ses pieds. Cette folie qu'était la guerre, cette terrifiante folie qui ne cessait jamais, cette monstrueuse machine à broyer les âmes, des hommes comme lui devaient s'y frotter, s'y mesurer, y combattre et s'y sacrifier, si cela devait être. C'était le chemin que Sam avait choisi. Il était un guerrier dans son cœur et dans son sang, c'était plus fort que tout le reste. Son seul regret résidait dans ses absences prolongées, loin de sa fille. Sa petite puce. Le divorce n'avait rien arrangé. Clara ne lui en avait jamais tenu rigueur, mais il avait lu la peine immense dans ses yeux d'enfant. Il s'en voulait, c'était chose certaine. Ce n'était pas qu'il se maudissait, seulement, ça lui restait coincé en travers de la gorge. Il avait placé son travail avant toute chose, avant sa femme, avant sa fille, parce que c'était ce qui le propulsait, le nourrissait, parce que la guerre était le cœur de sa vie, l'œil de son cyclone. Elisabeth n'avait pas supporté. Chaque fois qu'il partait au combat, elle disait qu'elle partait elle aussi, qu'elle partait avec lui. Elle détestait son entêtement à courir *vers le feu.* Elle n'en pouvait plus. Elle craignait qu'il meure. Elle avait préféré le quitter, s'en détacher. Elle ne voulait pas qu'on le lui arrache de force, alors elle s'en était défait. Et pour y arriver, elle avait commencé à le haïr.

Lui n'avait jamais cessé de l'aimer. Il avait appris à vivre avec cette autre blessure. Cette autre douleur, un engourdissement. Il avait voulu sauver le monde, il avait brisé sa femme. Le temps avait passé, mais il laissait des cicatrices.

Sam n'avait jamais réellement songé à sa propre mort. Il n'en avait pas peur. C'était une angoisse qu'il ne connaissait pas, une sensation étrangère. Il était prêt à mourir, pour ça, oui. Il ne désirait pas la mort, mais il s'y était préparé et, le jour venu, il mourrait la tête haute. Jamais il ne plierait les genoux. Ce qui le rendait triste dans l'idée de son départ, dans la possibilité qu'il ne revienne pas vivant d'un de ses déploiements, se rattachait encore à Clara. Il ne la verrait plus. Il ne la verrait pas grandir, devenir une femme, il ne pourrait plus jamais la prendre dans ses bras, sentir le doux parfum de ses cheveux, l'odeur douce, fruitée de sa peau. C'était ce qui le peinait lorsqu'il était à des milliers de kilomètres, dans la chaleur ou le froid nocturne du désert, et qu'une ombre obscure planait dans son esprit. Ça ne durait jamais longtemps, il savait compartimenter, mettre ses doutes et ses craintes en veilleuse, mais ça lui pesait parfois.

Cette nuit, il pensait à Clara en regardant le ciel et les étoiles. Ils avaient vécu de bons moments en juin dernier. Elle lui avait rendu visite pendant deux semaines avant de reprendre son travail comme guide de vélo de montagne sur les sentiers de l'Oregon. Ils avaient passé du temps ensemble, juste eux deux, et c'était bon. Une brise fraîche venue du lac caressa doucement son visage, c'était comme la main de Clara quand elle était petite et qu'elle jouait dans sa barbe. Il sourit. Oui, il se sentait bien. En paix.

15

— C'est beau, les étoiles.

Sam se retourna. La silhouette d'Alexia se découpait dans l'embrasure de la porte coulissante, qu'il avait laissée entrouverte. Elle s'était enroulée dans un des draps blancs du lit, fantôme longiligne aux cheveux blonds, elle se tenait appuyée contre le chambranle, les genoux légèrement fléchis, les jambes encore molles malgré la raideur douloureuse de ses muscles.

— J'ai l'habitude de la ville, elle dit, le regard levé vers le ciel. On voit rien, là-bas.

Sam hocha la tête.

— Comment tu te sens ? il demanda.

Elle haussa les épaules. Elle avança vers lui en boitillant, perdit presque l'équilibre après trois ou quatre pas. Il la rattrapa, l'aida à s'asseoir sur une chaise longue où elle put étendre ses jambes.

— Mes pieds, fit-elle, on dirait de la charpie.

— Ouais, j'imagine. Ils sont dans un drôle d'état. Mais rien de grave. Avec du repos, ça va guérir assez vite, tu verras.

Les deux pieds d'Alexia semblaient avoir doublé de volume. La cheville gauche était gonflée et rouge. Sam avait pris soin de bien l'examiner le matin et, selon ses connaissances, pouvait juger qu'il n'y avait pas de fracture. Au pire, elle avait une entorse de deuxième degré. Il avait nettoyé, désinfecté et séché les plaies, appliqué des bandages là où ils étaient nécessaires. Ce n'était pas joli, mais c'était surtout spectaculaire. N'empêche que d'ici quelques jours presque plus rien n'y paraîtrait.

— T'as beaucoup dormi. T'as faim, tu veux quelque chose ?

— Non. Mais j'ai soif, j'ai la gorge sèche. Je boirais de l'eau.

Sam entra dans la maison, prit un verre, remplit un pichet d'eau fraîche. Au passage, il attrapa une canette de bière qu'il coinça sous son bras. Ce n'était pas dans ses habitudes de boire au milieu de la nuit – ce ne l'était plus, en réalité. Il avait eu une période où se soûler était systématique, la seule chose possible pour tenir le coup jusqu'au matin, croyait-il, un mensonge qu'il se racontait jour après jour, nuit après nuit, dans l'ombre et les brumes du Johnnie Walker Double Black. Mais, cette fois, il considérait que cela ne lui ferait pas de mal, il avait traversé et survécu à cette tempête, il était passé de l'autre côté. Il retourna auprès d'Alexia.

— Tu restes toujours debout la nuit ? elle demanda alors qu'il versait de l'eau dans son verre.

— Je dors pas des masses, il répondit.

Pendant un temps, ils restèrent silencieux. Alexia goûtait le calme autour d'elle, la tiédeur de la nuit. Elle se sentait encore vaseuse, un peu dans les vapes. Elle appréciait la présence de Sam, cet homme qui l'avait sortie du pétrin où elle s'était fourrée. C'était étrange. Il la réconfortait. Ce qu'elle allait faire maintenant, elle n'en savait rien. Elle ne voulait pas y penser pour le moment. Il y avait Frank. Elle ne pouvait l'ignorer. C'était lui, cette apparition trop réelle qui l'avait tirée de son sommeil, de ses rêves hallucinés où tout s'entremêlait. Il lui était apparu comme un mauvais présage, elle en avait eu le souffle coupé et la chair de poule. Elle avait failli hurler, mais aucun son n'était sorti de sa bouche. Frank était là, quelque part, elle le savait. Elle le connaissait, elle savait ce dont il était capable. Il ne lui donnerait aucune chance. Il nc la lâcherait pas. Où qu'elle aille, il la retrouverait, elle en était persuadée. Ce n'était qu'une question de temps. Elle avait été stupide d'agir comme elle l'avait fait. Elle aurait dû s'enfuir d'une autre manière. Toutes ces occasions qu'elle avait eues, perdues. Et elle avait choisi de sauter de la voiture. C'était idiot. À présent, elle était esquintée et prise au piège, en quelque sorte. Il allait lui remettre la main dessus, elle n'en doutait pas une seconde.

Elle frissonna, son souffle s'accéléra.

Elle leva les yeux vers Sam. Il avait repris sa place contre la balustrade, il buvait sa bière en observant le lac. Il était là, tranquille dans la nuit, et elle sentait la force qui émanait de sa personne. Comment il l'avait recueillie, comment il l'avait soignée, avait pris soin d'elle. C'était nouveau, elle n'avait pas l'habitude. Elle avait connu son lot de salauds dans la vie et elle jugeait qu'il n'en faisait pas partie. Elle sentait qu'elle pouvait avoir confiance en lui.

Elle voulait lui parler. Elle avait besoin de se confier. Seulement, que pouvait-elle lui dire? Jusqu'où pouvait-elle aller? Il ne demandait rien, il ne l'avait même pas questionnée, il avait respecté son silence. Elle se considérait tout de même redevable. Elle lui devait des explications, mais elle avait la frousse de tout déballer.

— Je me suis enfuie, je me suis sauvée.

Elle prononça ces mots avant même d'y réfléchir.

Sam baissa la tête, la tourna légèrement vers elle.

— De qui? il demanda.

Sa voix était douce, aucunement menaçante.

— De mon copain. Enfin, mon copain, de l'homme avec qui je vis depuis longtemps.

— Et c'est ce qui t'a mise dans cet état?

Alexia haussa les épaules, secoua la tête. Elle ne savait par où commencer.

— On revenait de la ville, elle fit après un court silence. On revenait du restaurant où Frank m'avait emmenée pour terminer la soirée, et on rentrait vers Montréal. On roulait sur l'autoroute.

Il y avait un accident devant, plus loin. La circulation était ralentie. Je voulais… Je sais pas… Ça m'est passé par la tête, j'ai jugé que je pouvais le faire et j'ai, j'ai tenté ma chance, j'ai sauté de la voiture. Ça m'a sonnée, mais j'ai réussi à m'enfuir dans les bois. J'ai couru, j'ai, j'ai marché toute la nuit, je me suis perdue. J'avais mal, j'étais déboussolée. Je pensais pas m'en sortir. Quand le jour s'est levé, je suis tombée sur cette route. C'est comme ça que tu m'as trouvée.

Sam réagit à peine, ne parut pas surpris.

— Je vois, il dit.

Alexia laissa échapper un soupir. Elle aurait pu s'arrêter là, mais décida de poursuivre :

— Je suis, merde, je suis une prostituée. Une pute de luxe. C'est comme ça. Et c'est Frank, mon copain, ce gars, c'est Frank qui s'occupe de moi. C'est lui qui m'a… Je veux dire, j'en ai assez. Je veux plus. Je veux plus de cette vie. C'est la raison pour laquelle…

La voix d'Alexia se brisa, elle se mordit les lèvres pour s'empêcher de pleurer. Sam s'avança, s'accroupit près d'elle.

— C'est ok, il dit en prenant sa main dans la sienne. C'est ok, maintenant. T'as plus à t'en faire.

— J'ai peur. Il va me retrouver et, et j'ai peur. J'ai peur de lui, de ce qu'il pourrait faire.

Sam la rassura.

— Personne va te retrouver ici, d'accord ? Y a aucun risque. T'as rien à craindre. Et je suis là.

16

« Hey there, little girl / Come inside,
I've got some sweet things / Put your hair in curls /
Paint you up just like a drag queen. »
The Pretty Reckless

Retour en arrière. Deux nuits plus tôt. Frank faisait son affaire, il faisait ça comme il aimait, il la baisait en grognant tandis qu'Alexia serrait les dents, le visage enfoui dans l'oreiller. Le lit cognait contre le mur. BAM. BAM. Frank y allait fort ces derniers temps, un enragé. Le sexe comme les claques sur la gueule. Je t'aime, bébé, maintenant ferme-la. Quand il eut terminé, quand il eut déchargé sa dose, il roula sur le dos. Il s'endormit rapidement. Alexia attendit une dizaine de minutes sans bouger, fixant la porte de la penderie entrouverte, là où se trouvaient ses vêtements, ses robes de pute. Elle se sentait engourdie, c'était léger, elle avait l'impression d'évoluer sous un voile de brume. Elle finit par se lever avec précaution, sans réveiller Frank, et quitta la chambre pour aller s'enfermer dans la salle de bain.

Elle se regarda dans le miroir. Son teint était pâle, ses traits, tirés. Elle tremblait sans pouvoir se contrôler. Elle en avait assez, plus qu'assez de ça. De Frank. De toute cette merde. Elle eut soudain mal au cœur. Ça remontait de loin, elle sentit un poing s'enfoncer dans son plexus solaire. Elle eut juste le temps de se retourner pour vomir dans la cuvette. Elle sentit un filet de sperme couler entre ses cuisses. Elle vomit à nouveau, cette fois, c'était comme si ses entrailles se déchiraient. Elle resta là, affalée sur le carrelage glacé, appuyée contre la cuvette, les yeux pleins d'eau. Quand elle fut certaine qu'elle ne dégueulerait plus, elle fit couler un bain, y versa de la mousse. En attendant qu'il soit prêt, elle se brossa trois fois les dents.

Dans l'eau chaude, à la limite du supportable, elle se laissa aller à pleurer en silence. Les larmes venaient toutes seules, glissaient sur ses joues, tombaient sur sa poitrine, s'évaporaient, disparaissaient dans les bulles de savon.

Qu'est-ce qu'elle allait faire ? Il n'y avait pas un choix infini de solutions. Elle devait partir, se tirer de là, quitter Frank. Récupérer sa vie.

Mais.

Elle manquait de courage.

Repartir de zéro. Il lui semblait qu'elle ne faisait que ça. Elle recommençait toujours, encore, encore et encore. Ça durerait jusqu'à quand ? Elle se rappela les premières années de son adolescence, ces années où le trouble en elle était puissant, ce gouffre qui l'avalait, ces années où elle ignorait comment agir entre ce qu'elle était physiquement et ce qu'elle ressentait intérieurement. Comment elle cherchait à concilier Alexia dans Alexis, comment cela lui paraissait absurde, impossible, comment durant cette période elle avait cru que la seule issue était peut-être de s'effacer, de disparaître, de se donner la mort. Elle y avait songé. Souvent. Mais ce qu'elle pouvait parfois considérer à cette époque comme une sortie de secours n'était en réalité, elle le savait, qu'un puits noir, sans fond.

N'empêche. Encore là, en fermant les yeux, elle aurait souhaité s'éteindre. Comme grand-maman à l'hôpital. Elle était partie en douceur, presque un sourire aux lèvres, après de si longues souffrances.

Partir. S'éteindre.

Elle fredonna la chanson des Cranberries, *Carry On*, celle-là même qui lui avait permis de tenir le coup à quatorze, quinze ans.

Carry on, carry on / The sun will always shine.

Elle espérait que c'était vrai, cette histoire de soleil qui brillait. Toujours.

Quitter Frank. Rien d'autre ne la retenait que la peur. Frank était dangereux, teigneux, elle savait jusqu'où il pouvait aller. Et elle, elle, sa *fiancée*, elle était son gagne-pain, son *morceau de choix*, son cul doré comme qu'il disait, *sa* femme, une transgenre belle comme une princesse slovaque, qui valait cher, qui se vendait sur le marché comme aucune autre salope.

À nouveau, un haut-le-cœur. Cette fois, elle se retint de vomir. Elle s'accrocha aux rebords de la baignoire pour s'empêcher d'avoir le vertige.

Frank ne lui rendrait jamais sa liberté. Elle devrait la reprendre elle-même. À quel prix?

17

Le rendez-vous était fixé depuis plusieurs jours. Un Américain, un homme d'affaires du Massachusetts, l'attendrait dans la suite d'un hôtel de luxe, au centre-ville de Sherbrooke. Il assistait à un colloque à l'université, mais il prendrait son après-midi de congé pour s'offrir un plaisir.

Alexia était ce plaisir.

Tôt le matin, elle et Frank s'étaient rendus au centre sportif où ils avaient leurs habitudes, *downtown* Montréal. Alexia avait suivi sa routine d'entraînement, essentiellement du tapis de course, de la musculation légère, des étirements et des poses de yoga, tandis que Frank soulevait de la fonte dans son coin en réglant des affaires sur son iPhone.

Alors qu'il prenait son temps au vestiaire, Alexia retira un maximum d'argent au guichet automatique près de la sortie. Elle avait fait de même la veille, au guichet de la banque, pour en avoir le plus possible. Elle commanda un *smoothie* mangue et framboise au comptoir nutrition en attendant Frank. Elle n'avait pas faim, son estomac était noué, mais elle maîtrisait sa nervosité, cachait son jeu.

De retour à leur appartement, elle se prépara. Dès qu'elle en eut la chance, elle prit ses papiers importants, s'assura d'avoir toutes ses cartes avec elle, ses ordonnances, son passeport que Frank conservait dans un coffre sur son bureau et mit le tout dans son grand sac à main avec l'argent.

Elle enfila une robe blanche sans manches, moulante, très classe, et un châle assorti.

Elle était prête. Malgré son cœur qui pulsait sauvagement.

Ils roulèrent pleins gaz pour se rendre à l'hôtel. Ils effectuèrent le trajet en moins d'une heure et demie. Frank, ça le faisait bander, la vitesse. Solide. Sa bite de Schtroumpf.

Intérieurement, Alexia était persuadée qu'elle allait flancher, qu'elle ne tiendrait pas le coup.

L'Américain l'attendait dans sa suite. Il l'accueillit en robe de chambre. C'était un homme d'une cinquantaine d'années, assez costaud, les cheveux poivre et sel lissés vers l'arrière. En l'apercevant, il sourit, s'exclama :

— *You are just perfect, sweety ! You're beautiful, very, very beautiful ! A masterpiece !*

Alexia lui rendit son sourire.

Il l'invita à entrer.

Elle avait cru pouvoir saisir une occasion et quitter la chambre, se faufiler hors de l'hôtel et s'enfuir, prendre un taxi, un autobus, n'importe quoi, partir, loin, le plus loin possible.

Et elle l'avait eue, cette occasion. Quand l'Américain s'était endormi après l'avoir sautée la première fois. Mais elle s'était figée. Elle savait que Frank devait en principe être au spa. Cependant, il pouvait avoir changé d'avis et traîner autour, être au bar de l'hôtel, à la piscine ou dans le hall. C'était son style, imprévisible. Il pouvait discuter au téléphone en arpentant le stationnement, surveillant les allées et venues des clients. Elle avait l'impression qu'il pouvait être partout à la fois, qu'il la surveillait en permanence. Elle s'était levée du lit, s'était approchée de la baie vitrée, avait entrouvert le rideau opaque. Ils étaient au sixième étage. Le soleil plombait sur la rivière Magog. Elle regarda le lac des Nations qui s'étendait sous ses yeux. Elle se sentait fébrile. Elle tenta de se calmer en prenant de grandes inspirations. *Tire-toi, tire-toi d'ici,* se répétait-elle. Elle n'avait qu'à se rhabiller sans faire de bruit, attraper son sac, se pousser.

Elle en était incapable.

L'Américain se réveilla. Il alla la rejoindre, tira sur le rideau pour l'ouvrir complètement, l'éclat violent du soleil illumina la chambre, aveugla Alexia. L'Américain se colla contre elle. Il bandait de nouveau. Elle se raidit. Il lui malaxa la poitrine avec un grognement de satisfaction. Il cracha dans sa main, lui caressa la chatte, y enfonça deux doigts.

— *Can't believe you were a boy, sweety! It's mind blowing! Crazy shit! Franky told me you were the best. And he's fucking damn right, honey!*

Alexia se mordit la lèvre jusqu'au sang. Elle avait envie de hurler.

Il la retourna, essaya de l'embrasser sur la bouche. Elle détourna le visage, mais il le prit dans sa main, le ramena vers lui. Il souriait. Il enfonça sa langue dans sa bouche. Puis il lui releva une jambe et il força son chemin en elle. Il la baisa, plaquée contre la grande fenêtre.

Elle eut l'impression que l'épreuve durait une éternité.

18

Elle sortit de l'ascenseur au rez-de-chaussée, moulée dans sa robe blanche, son châle posé sur ses épaules. Elle portait ses larges lunettes fumées Prada, autant pour cacher sa honte qu'afin d'éviter le regard des gens. Elle ressemblait à un mannequin d'envergure internationale, les hommes tournaient la tête sur son passage. Avant, elle était fière de ces visages dirigés vers elle. Aujourd'hui, ça la rendait folle, malade, elle en avait mal au ventre. Elle avait repris une douche avant de quitter la chambre. Malgré cela, elle avait l'impression d'empester le foutre et le parfum vulgaire de l'Américain.

Frank sourit en la voyant arriver, traverser le corridor des ascenseurs jusqu'au hall. Il l'attendait en sirotant un Black Russian. Elle était resplendissante, même après avoir passé l'après-midi au lit, à se faire baiser. C'était *sa* femme, chaque fois qu'il la voyait comme ça, il n'en revenait pas, ça l'excitait à mort.

— Ça va, princesse ? il demanda en l'embrassant.

Alexia hocha la tête.

— Oui, elle répondit d'une voix basse.

L'Américain avait déjà effectué son virement électronique. Frank reçut une notification indiquant qu'il venait d'ajouter un boni. C'était bon, ça. Un message suivit : il demandait si Alexia serait disponible pour l'accompagner en voyage d'affaires, une semaine en Europe à l'automne. Frank répondit que c'était parfaitement négociable.

— T'as fait du bon boulot, on dirait.

Alexia se contenta d'un faible sourire. Elle regardait une jeune maman jouer avec sa fille d'à peine trois ans à l'autre bout du hall alors que le papa prenait possession de la chambre à la réception. Elle ne prêtait pas attention à ce que Frank lui disait.

Il avait réservé une table dans un restaurant coté quatre étoiles. Il termina son cocktail et ils sortirent dans le stationnement qui baignait dans une lumière mordorée. Le soir tombait. Alexia était épuisée, physiquement, mentalement, elle aurait préféré rentrer. Frank avait faim.

Tout au long du repas, elle se disait qu'elle avait échoué. Elle réalisait qu'elle était incapable de partir, incapable de le quitter d'une manière ou d'une autre. Elle se demandait pourquoi. La peur la figeait, voilà pourquoi. La peur de Frank, de ce qui arriverait après, de ce que serait son avenir. Sa solitude. Elle ne voulait pas être seule. Elle en avait trop souffert. Mais elle souffrait autant, sinon plus, avec lui. Où irait-elle ? Elle ferait la pute ailleurs. C'était tout ce qu'elle voyait. Elle s'enfonçait. Elle ne parvenait pas à se détacher, à prendre du recul, et son esprit s'embrouillait, une spirale qui l'entraînait vers le fond.

Frank. Tout ce qu'elle connaissait à présent gravitait autour de cet homme. Quelle que fût la direction vers laquelle elle regardait, il lui semblait qu'il était là à la surveiller. Si elle s'enfuyait, il la traquerait, elle en était persuadée. Peu importe où elle irait, il la trouverait. La femme qu'elle était devenue, elle la lui devait. C'était une dette qu'il lui rappelait sans cesse. Frank l'avait aidée à effacer ce qu'il restait d'Alexis pour que puisse enfin naître la vraie Alexia. Ce faisant, il l'avait insidieusement coupée du monde, la tenant prisonnière, enfermée dans une cage dorée, coincée dans un univers qu'il était le seul à contrôler. C'était comme avoir signé un pacte avec le diable. « Tout ce que tu as maintenant, tu me le dois. Je veux que tu t'en souviennes. Tu m'appartiens, beauté. Tu m'entends ? » Elle savait que ces mots n'étaient pas des paroles en l'air. Il les lui avait soufflés à l'oreille pour la première fois presque un an après leur rencontre, il souriait, lui caressait les cheveux. Ils venaient de faire l'amour. C'était bien ce qu'ils faisaient, au début. Ils ne baisaient pas, ils faisaient l'amour. Du moins, c'est ce qu'Alexia croyait. Peut-être était-elle naïve. Elle était tombée sous le charme de Frank. Elle était amoureuse. Il avait débarqué dans sa vie et tout avait changé. À dix-neuf ans, elle poursuivait sa transition tant bien que mal. À cette période, il était difficile de distinguer si elle était une fille ou un garçon, l'ambiguïté persistait, elle travaillait dans un magasin à grande surface, dans le rayon des accessoires pour femmes, elle suivait un traitement d'hormonothérapie et, oui, elle vendait encore son corps de manière occasionnelle. Peu d'hommes voulaient être vus avec elle à leur bras, mais pour le sexe, ce n'était jamais compliqué, elle louait un studio en demi-sous-sol, elle les recevait chez elle, des étudiants, des hommes mariés, ça lui était égal tant qu'elle ramassait du fric.

Frank l'avait emmenée ailleurs, il l'avait élevée à un autre niveau en lui promettant la lune.

Au restaurant, il parlait, mais encore une fois elle ne l'entendait pas. Elle souriait, hochait la tête, absente. Il avait commandé une bouteille d'un excellent vin californien, bavardait en mangeant son steak. Elle avait à peine touché à son assiette de risotto. En allant à la salle de bain, elle avait lorgné la sortie de secours, puis elle s'était ravisée. De retour à la table, elle le regrettait de nouveau. Visiblement, elle ne partirait pas. Pas ce soir. Ni demain. Jamais. Elle était prise au piège, étouffée en elle-même. Le courage lui manquait, sa volonté lui faisait défaut. C'était comme si son instinct de survie était en léthargie. Sa vision était floue, les sons étaient creux, sourds. Elle voyait les lèvres de Frank bouger, rien ne parvenait à ses oreilles, elle le trouvait ridicule. Ils étaient installés en retrait dans le restaurant – Frank demandait toujours une table dans un coin intime –, et Alexia avait l'impression qu'il n'y avait qu'eux comme clients. Autour d'elle, les formes se mélangeaient, comme des couleurs qui fondraient au soleil.

Frank la gifla d'un geste vif et sec.

— Hey ! T'es où, là ? il siffla entre ses dents en se penchant sur la table.

La vision d'Alexia s'éclaircit, les sons reprirent leur ampleur.

— Je suis là, elle dit en se touchant la joue. Pourquoi t'as fait ça ?

— Pourquoi j'ai fait ça ? Parce que t'es pas là, chérie. Je te parle et tu bouges la tête comme une poupée mécanique. T'es encore avec l'Américain, c'est ça ?

Alexia baissa les yeux, secoua la tête.

— Non.

— Il t'a fait jouir ?

— Arrête, Frank.

— Réponds-moi : il t'a fait jouir, oui ou non ?

— Non !

Frank recula sur sa chaise en riant.

— Ouais. Bien sûr, chérie. Bien sûr. Tu lui plais, en tout cas. Il veut te revoir.

Alexia détourna la tête, ferma les yeux. Sa joue la brûlait. Elle s'agrippa au rebord de la table. Elle avait l'impression que le sol se dérobait sous elle, qu'elle chutait dans le vide.

Il fallait que ça cesse.

19

Elle n'avait pas prévu de jouer ce coup-là. En sautant de la voiture, elle aurait aussi bien pu mourir. L'idée avait surgi dans son esprit au moment même où elle avait aperçu les gyrophares au loin, au moment où Frank avait commencé à ralentir. Elle n'avait rien calculé, elle avait tenté sa chance. Alors qu'elle tombait, avant même qu'elle touche le sol, elle avait jugé son geste stupide. Sublime et stupide. Mais elle n'avait plus rien à perdre. Elle s'était protégée de son mieux, avait touché la terre avec violence, un choc terrible, elle avait eu le souffle coupé, elle avait rebondi comme une poupée de chiffon, puis s'était frappé la tête. Frank avait mis du temps à réagir, à freiner. La surprise, le taux d'alcool dans son sang. Il avait quasiment bu la bouteille à lui seul. Ça avait joué en faveur d'Alexia. Cette fois, son instinct avait pris le relais, l'avait maintenue en vie. L'adrénaline qui pulsait dans ses veines l'avait poussée à se relever d'un bond et à s'enfoncer dans la forêt alors qu'elle entendait les pneus crisser sur l’asphalte. Elle avait peine à le croire, mais elle fuyait enfin alors que Frank hurlait son nom dans son dos.

20

Toute la nuit, elle avait marché dans la forêt, dans les montagnes de l'Estrie. Rien n'était gagné. Comment elle allait se sortir de là, elle n'en avait aucune idée. Elle progressait à tâtons, d'un arbre à l'autre, s'agrippant aux roches dans les endroits pentus. Elle était comme droguée, dopée, comme à quinze, seize ans quand elle se défonçait pour geler son mal de vivre, son âme fendue en deux. Mais là, elle n'avait rien consommé, elle fonctionnait dans un état d'hypervigilance, non pas dans une brume semi-comateuse. L'adrénaline encore. À fond. Elle avançait le plus en ligne droite possible. Il fallait qu'elle se sorte de là. La seule manière était de ne pas s'arrêter avant de trouver une issue. Quelle issue ? Jusqu'où s'étendaient ces montagnes, cette région ? À quoi avait-elle pensé ? Elle était folle, sacrément folle. Toutes ces chances qu'elle avait eues, ces occasions perdues, ratées. Et voilà où elle en était. Paumée, perdue, brisée par l'épuisement, la douleur. *N'arrête pas,* se disait-elle, *ne va pas mourir ici, pauvre idiote, accroche-toi, accroche-toi.* Autour d'elle, la forêt aurait dû l'effrayer. Les arbres, les rochers, les ombres menaçantes de la nuit, les animaux sauvages qu'elle ne pouvait qu'imaginer. Cependant, rien ne l'effrayait. Pas même la pensée qu'elle pourrait mourir là. La seule chose qu'elle redoutait, c'était de tourner en rond, de revenir sur ses pas, de se retrouver nez à nez avec Frank. Alexia s'accrochait corps et âme à sa fuite, aussi absurde fût-elle. Il fallait qu'elle s'en sorte. Il le fallait. Elle tombait, se relevait, tombait encore et encore. Elle ne réalisa pas que l'aube pointait en douce à travers la cime des arbres, que la densité obscure des bois prenait peu à peu la blancheur et la grisaille d'une aube humide et chaude. Lorsqu'elle déboucha sur le chemin de terre, elle s'arrêta au beau milieu. Un chemin, une route qui la mènerait ailleurs. Elle n'avait plus aucune force. Elle faillit se mettre à genoux, mais elle se figea sur place en clignant des yeux. Elle entendit d'abord un bruit, le son d'un moteur. Un véhicule qui s'approchait. Elle voulut bouger, fuir de nouveau, mais elle resta pétrifiée, ses jambes qui la soutenaient de justesse refusaient d'avancer d'un pas. Quand elle vit la Jeep franchir la courbe et foncer sur elle, elle pensa, elle pensa que c'était la fin.

21

Frank aurait démoli l'appartement s'il ne s'était pas retenu, il l'aurait réduit en poussière. La rage le brûlait. Il se laissa choir sur le fauteuil en cuir, les mâchoires serrées. De cet endroit, il dominait le salon, il voyait une partie du Vieux-Port, le pont Jacques-Cartier par la baie vitrée. Le soleil se couchait sur la ville. Il renifla un grand coup. Il était claqué, la descente de coke était brutale. Il avait tenu là-dessus la journée entière. Alexia l'avait eu, elle l'avait bien eu, ça, il ne pouvait pas le nier. La chienne.

Comment elle avait fait, c'était à peine croyable. Elle l'avait pris par surprise, il ne se serait jamais douté qu'elle pouvait faire une chose pareille. Il avait vu la portière s'ouvrir, il l'avait vue plonger dans le noir comme au ralenti, il avait mis plusieurs secondes à réaliser ce qui se passait avant de freiner et de s'immobiliser. Il était sorti en vitesse, il s'attendait à la retrouver à moitié morte dans le fossé, mais déjà elle s'enfonçait dans les bois. Il lui avait gueulé après, hésitant à partir à sa poursuite. D'autres voitures arrivaient maintenant derrière sur l'autoroute et les flics étaient devant, pas tellement loin, à ralentir et à rediriger la circulation, il ne pouvait pas rester là comme un imbécile, il ne pouvait pas traîner, il ne voulait surtout pas attirer l'attention, il avait forcé sur le vin, c'était pas un drame en ce qui le concernait, mais si un flic plus suspicieux que les autres s'intéressait à son cas, il serait dans la merde, il devait dégager. Ça le faisait chier. Alexia ne pouvait pas être loin. Impossible qu'elle se foute de lui de la sorte. Elle devait être dans un sale état, cachée dans un trou, attendant qu'il lève le camp.

La Porsche était garée sur le bas-côté, les avertisseurs de sécurité allumés. Il décida de tenter sa chance malgré tout. Il entra à son tour dans la forêt.

C'était l'obscurité totale. Les phares des autres voitures éclairaient au passage, mais ça ne suffisait pas. Il aurait eu besoin d'une lampe de poche. Ses yeux s'habituaient tranquillement à la noirceur, mais il n'allait pas s'introduire là-dedans, pas question. Merde. Où elle était? Il ne voyait rien, n'entendait rien. Les craquements, ce pouvait être n'importe quoi. La chaleur et l'humidité collaient sa chemise à sa peau.

Il retourna à son véhicule, alluma une cigarette, réfléchit un moment. Il l'appela sur son cellulaire, de manière frénétique. Elle ne répondait pas. Le signal du téléphone d'Alexia mourut. Il prit un repère visuel de là où il se trouvait, de l'endroit approximatif où elle s'était balancée, puis il démarra. Il intégra la file de voitures qui s'était formée pour contourner l'accident. Dès qu'il en eut l'occasion, environ trois kilomètres plus loin, il emprunta la première sortie à droite. Il rebroussa chemin, reprit la direction de Magog et Sherbrooke.

Maintenant affalé dans son fauteuil, il avait sacrément envie d'un scotch, mais il avait la flemme de se lever pour aller se servir. Dehors, le ciel s'embrasait tandis que la nuit étendait son voile. Frank regardait au loin, les yeux rouges de fatigue. Une colère sourde l'habitait.

— T'es où, salope ? il siffla entre ses dents.

Aux premières lueurs de l'aube, il était retourné sur place. Cette fois, il s'était enfoncé dans la forêt. Il avait couvert, quadrillé une partie du terrain, mais c'était accidenté, difficile d'accès. Alexia n'était nulle part. Comment elle avait fait pour se tirer de là ? Il chercha à comprendre. La seule chose qu'il voyait, c'était qu'elle s'était cachée et avait attendu le temps nécessaire, puis elle était ressortie sur le bord de l'autoroute. Impossible qu'elle ait continué dans les bois, selon Frank. Pas avec ce genre de terrain, ces escarpements, ces montagnes autour. Elle était ressortie, quelqu'un l'avait embarquée. Elle pouvait être n'importe où.

— *Fuck me !*

Il s'en voulait à présent d'avoir quitté les lieux, il aurait dû demeurer sur place, mais la proximité des policiers l'avait rendu nerveux, moins il avait affaire à eux, mieux il se portait.

Donc. Alexia. Elle se trouvait Dieu sait où maintenant. D'emblée, il élimina Montréal. Elle n'était pas revenue ici, il en était persuadé. Il évaluait sa vitesse à plus ou moins quarante kilomètres à l'heure quand elle avait sauté. Elle ne pouvait pas s'en être tirée sans dommage, c'était impensable. Les probabilités qu'elle soit blessée, gravement ou non, paraissaient fortes. L'hôpital le plus près était le Centre hospitalier universitaire de Sherbrooke. Si quelqu'un l'avait embarquée, il pouvait fort bien l'y avoir conduite. Il pouvait toujours commencer par là, il n'avait rien à perdre.

Alors qu'il retournait à son véhicule, un objet au sol, enfoui dans les branches et les feuilles mortes, attira son regard. Une chaussure. Une des chaussures à talon haut en cuir d'Alexia. Frank se pencha pour la ramasser.

— Putain de Cendrillon.

À l'hôpital, il se renseigna pour savoir si Alexia se trouvait à l'urgence. Non. Il n'y avait personne de ce nom. Il avait alors rôdé autour du centre universitaire une partie de la matinée, s'envoyant un peu de poudre dans les narines pour se garder éveillé. Il avait sillonné les rues du centre-ville de Sherbrooke, il était retourné à l'hôtel où elle avait passé l'après-midi de la veille avec le client américain. Il décida d'aller à Magog, puis à Orford, situés plus près de l'endroit où elle s'était sauvée. Mais il ne se faisait pas d'illusions. Il se doutait bien qu'Alexia ne réapparaîtrait pas comme ça devant lui en claquant des doigts.

Il s'arrêta à une terrasse pour descendre une bière. Dans les toilettes, il s'envoya deux autres lignes de coke bien tassées. De retour à sa table, il songea qu'Alexia pouvait aussi bien être morte, là-bas, dans les bois. Cette perspective le faisait chier. C'était un truc dont il aurait voulu se charger lui-même si possible. Il n'aurait aucun problème à lui tordre le cou, à cette salope.

Si elle était toujours en vie, il la retrouverait et il s'en occuperait. Personnellement. Il la baiserait un bon coup avant, de force, à lui faire mal, puis il la tuerait. Aussi simple. Après, il s'en débarrasserait en la délestant au fond d'une rivière ou, pourquoi pas, en la balançant dans les bois pour qu'elle y pourrisse.

Ouais. Il y consacrerait le temps nécessaire, mais il la retrouverait. Il était patient. Il finirait par lui mettre la main dessus. Et elle le paierait, elle le paierait cher.

Avant de rentrer, il était passé par les petites routes, avait emprunté des chemins de campagne qui partaient dans tous les sens, mais c'était un véritable labyrinthe, il n'avait rien vu, rien remarqué.

La nuit était tombée maintenant. Il alluma une lampe au salon, puis il se leva. Il alla se servir un scotch comme il en avait envie. Il avait toujours la rage, mais il la maîtrisait. Il tentait de garder la tête froide. D'abord, il effacerait les traces d'Alexia dans l'appartement. Elle avait voulu disparaître, elle disparaîtrait, il n'y avait pas d'inquiétude à avoir à ce sujet. Il passa à la chambre, ouvrit les tiroirs, les vida de tous ses vêtements, ses bijoux, ses putains de babioles. Il découvrit qu'elle avait fouillé dans son coffre, emporté son passeport, ses papiers, ses cartes. Elle avait prévu le coup. Il ricana. Elle aurait une jolie surprise en le voyant apparaître, un de ces jours. Où qu'elle se trouvât.

— Salut, poupée. Tu t'es ennuyée de moi?

Il mit tous ses effets personnels dans de grands sacs-poubelles, ne conservant que ce qui avait une réelle valeur pécuniaire ou ce qui pouvait servir à une autre pute. Car des putes, il en avait, ce n'était pas ce qui manquait. Des filles, des gars. Des *shemales*. Parmi les filles trans dont Frank s'occupait, Alexia était la seule à avoir subi une réassignation sexuelle. C'est vrai qu'elle était d'une classe à part. C'était sa meilleure, en fait, ce n'était pas pour rien qu'il s'y était fiancé. C'était un magnifique morceau de cul, une princesse *inventée*. Il avait beaucoup investi en elle. C'était dommage, ce gâchis. Mais il trouverait mieux. Il y avait toujours moyen de trouver mieux. Il en avait d'autres en réserve, de jolis petits corps fragiles prêts à prendre la relève. Bien sûr, ce ne serait pas pareil, puisque Alexia était une beauté rare, un véritable joyau dans son genre, mais toute bonne chose avait une fin, n'est-ce pas? Ça le tuait de penser ça. Il se consolait en se disant que ça la tuerait aussi.

Il se débarrassa de toutes les photographies d'elle, d'eux, qui ornaient les murs. Il les passa une à une dans la déchiqueteuse. Ils avaient eu de bons moments ensemble, surtout au début, mais il n'allait pas s'attendrir là-dessus. N'empêche, il sentait sa colère gronder. Il avait été aux petits soins pour elle, il lui avait donné tout ce qu'il avait. Elle avait coûté une fortune en opérations, en chirurgies esthétiques. Elle était devenue une œuvre d'art, SON œuvre d'art, et c'est ainsi que ça se terminait. *Fuck it.* C'était une belle façon de le remercier, oui. Son cerveau fonctionnait à deux cents à l'heure, il changeait d'idée à la seconde. Il n'allait pas la tuer, non, il la revendrait, il la mettrait sur le marché, il connaissait les réseaux et, étant donné sa cote, Alexia irait chercher le paquet, les preneurs se bousculeraient aux portes. Il dénicherait sans problème un riche enculé qui lui offrirait une fin de vie misérable comme esclave sexuelle. Elle pourrait même terminer sa carrière dans un *snuff movie.*

Ça lui éviterait de se salir les mains.

Il transporta les sacs-poubelles dans l'ascenseur, il les descendit au sous-sol où il les jeta dans le conteneur à déchets. Quand il fut de retour à l'appartement, il ne restait plus rien d'Alexia. Il avait fait le grand ménage. Elle l'avait quitté, voilà. Ouais. C'était une façon de voir la chose. Il se servit un second scotch, un double, et il sortit sur le balcon pour fumer une cigarette. Le vent chaud de la nuit soufflait sur Montréal, la ville était illuminée. Frank fixait l'horizon au loin, aussi loin que son regard pouvait porter. Il entendit le cri strident d'une sirène. L'ambulance, suivie d'une voiture de police, passa dans la rue, onze étages plus bas. Il ne broncha pas. Il réfléchissait. Échafaudait un plan. Il se demandait comment il allait s'y prendre. Il ne retournerait pas là-bas perdre son temps. Il devait s'occuper de ses affaires, le *business* devait continuer à rouler.

Il connaissait un gars qui habitait dans la région, Lebron. Il pouvait avoir confiance en lui. Lebron gravitait dans l'orbite des motards. Il commencerait par là. Il attrapa son iPhone, lui envoya un message texte et quelques photos numériques d'Alexia. Il lui demanda d'être discret et d'ouvrir l'œil. Elle devait être dans les parages.

Chose certaine, selon Frank, elle ne pouvait pas être bien loin. Elle ne pouvait pas s'être volatilisée. Elle était là, quelque part. Elle finirait par refaire surface. Elle commettrait une erreur. Et il serait là pour la cueillir, il serait là pour la coincer. Elle pouvait y compter. À cent pour cent.

22

Rose bougeait avec aisance sur le ring, elle se déplaçait avec une parfaite fluidité. Les coups qu'elle portait à sa partenaire d'entraînement étaient rapides, précis, compacts. Sam était satisfait de ce qu'il voyait. Il se tourna vers son frère, lui fit un clin d'œil.

— Elle a bouffé du tigre pour déjeuner, lui dit Danny en souriant.

Sam acquiesça.

La force de Rose, c'était le *grappling*, le combat au sol. En jiu-jitsu, dans sa catégorie de poids, elle était dure à battre. Seulement, la fille qu'elle allait affronter à Montréal dans moins de trois semaines, une Brésilienne, avait plus d'expérience et était une cogneuse redoutable. Elle tenterait par tous les moyens de rester debout et de terminer l'affrontement le plus vite possible par K.-O. Depuis l'annonce du combat au printemps, Sam avait veillé à améliorer et à peaufiner la technique de boxe de Rose. Ils avaient mis les bouchées doubles sur le ring et, maintenant, ça portait ses fruits. Elle était belle à voir évoluer. Ce n'était pas gagné d'avance, mais le clan adverse ne s'attendrait pas à ça, à cette boxe affûtée, rapide et efficace. Sam était confiant.

C'était la première fois qu'il remettait les pieds à l'Académie Shōri depuis qu'il avait recueilli Alexia, deux jours plus tôt. Elle était seule à la maison. Elle paraissait ok quand il l'avait quittée, quoiqu'un peu nerveuse. Il avait hésité à la laisser. La situation était délicate. Alexia s'était confiée à lui, d'abord avec parcimonie, puis sans gêne. Il avait écouté son histoire. Ce qu'elle lui avait raconté le troublait. Il comprenait mieux d'où elle venait, ce qu'elle avait traversé, le chemin parcouru.

Après la séance de *sparring* de Rose, il se rendit au vestiaire des hommes pour jeter un coup d'œil à son travail. L'odeur de la peinture fraîche était encore forte. C'était du bon boulot, le blanc illuminait l'espace, ça faisait une différence énorme avec le gris sale et terne, écaillé, qui couvrait les murs auparavant. Il remarqua quelques gouttes séchées sur les carreaux du sol, il s'accroupit, les gratta avec l'ongle de son pouce. Ce n'était pas grand-chose, mais il n'aimait pas ces petites bavures, ce manque d'attention aux détails.

Lorsqu'il ressortit du vestiaire, il aperçut Danny assis à son bureau, derrière la baie vitrée. Rose faisait des étirements dans le coin du gymnase prévu à cet effet, sur les matelas de sol. Il alla voir son frère.

Quand Danny le vit entrer, son visage s'éclaira d'un large sourire. Il croisa ses mains derrière sa tête.

— Alors, tu crois qu'elle est prête ? il demanda.

— Rose ? Oui. Elle est en pleine forme. Il faut juste qu'elle se maintienne, mais elle est prête, ouais.

— Elle arrête jamais, dit Danny en se levant pour venir s'asseoir sur le coin du bureau. Le matin à son réveil et le soir avant de se coucher, elle récite même des prières de guerriers amérindiens ou des trucs du genre, c'est pas croyable. Tu devrais la voir, parfois, ça me donne le frisson.

Sam eut ce flash, ce qu'il faisait avant chaque mission, avant de quitter la base au milieu de la nuit et d'aller s'enfoncer en territoire ennemi. Il ne croyait pas en Dieu – comment aurait-ce été possible en côtoyant horreur après horreur ? –, mais il murmurait toujours une prière pour ses hommes. Il priait afin d'obtenir la protection pour ses gars, pas tant pour la sienne, il priait afin de pouvoir les ramener sains et saufs à la maison. Il priait aussi pour avoir la force et le courage nécessaires de lutter jusqu'au bout et, ultimement, de remporter le combat. Il priait pour qu'un jour puisse enfin venir la paix. Cette prière valait ce qu'elle valait, il la murmurait au ciel, les yeux grands ouverts. C'était son rituel. Cela fonctionnait, le rassurait. Mais ce n'était pas toujours gagné. Il arrivait que tout aille de travers, prière ou pas.

Il eut une pensée pour Alexia.

— Ça te dérange si je rentre maintenant ?

Danny ricana :

— Tu veux rire ? Pourquoi tu demandes ? Je suis pas ton patron, t'es libre, mon vieux, j'ai pas de permission à te donner.

— Ouais, je sais. Mais tu pourrais avoir besoin d'un coup de main.

Danny secoua la tête, ça allait. Il jeta un regard en direction de Rose. Elle discutait à présent avec sa partenaire d'entraînement, et les deux filles rigolaient. Dans un autre contexte, personne n'aurait pu croire que ces deux-là pouvaient se battre jusqu'au sang. Qu'elles étaient de véritables machines de guerre, et fières de l'être.

Il reporta son attention sur Sam.

— La fille dont tu m'as parlé, elle est encore chez toi ?

Sam acquiesça.

— Ouais. C'est une histoire compliquée.

— J'imagine.

Sam passa une main sur son visage.

— Écoute, si jamais, si jamais quelqu'un passait par ici et posait des questions, si tu voyais un truc bizarre, tu me préviens, d'accord ?

— Ouais, ok. Rien de grave, au moins ?

— T'en fais pas. Disons qu'elle a des problèmes, que je l'aide.

Danny hocha la tête.

— Tu sais, faudrait quand même pas que ses problèmes deviennent les tiens. Tu vois ?

Sam ne répondit pas. Il se contenta de soutenir le regard de son frère avant de lui faire un clin d'œil et de lui envoyer un semblant d'uppercut à la mâchoire.

— Je serai là demain, il dit avant de partir.

Dehors, le soleil brûlant de seize heures éclaboussait le stationnement, envoyait des reflets dans tous les sens. Sam enfila ses lunettes de soleil et grimpa dans la Jeep Rubicon. Il devait s'occuper des courses avant de rentrer. Il préférait ne pas traîner.

23

Seule chez Sam, Alexia passa une partie de la journée à lutter contre des crises de panique. L'angoisse la gagnait, elle tentait de la maîtriser, y arrivait avec peine. Elle tournait en rond dans la maison, n'était pas sortie une fois par crainte d'être vue. C'était ridicule, pourtant. L'endroit était isolé, le chemin qui y menait, un cul-de-sac. Il n'y avait aucun voisin proche. Si une voiture s'aventurait jusqu'ici, elle en aurait connaissance. Malgré cela, elle n'avait pas confiance. Elle avait cette boule dans l'estomac, comme une lourde pierre. Elle attendait avec impatience que Sam revienne. Elle avait cru qu'elle s'en tirerait sans mal durant son absence, elle avait eu tort. Ses nerfs étaient à fleur de peau. Elle ne pouvait s'empêcher de penser à Frank, c'était quasi intenable, elle sentait presque sa présence, aussi absurde que cela pût sembler.

Dans la chambre de Clara, elle mit la main sur un livre, *Sailor et Lula,* de Barry Gifford. Elle se disait que lire l'aiderait peut-être à se changer les idées. En feuilletant le bouquin, elle tomba sur une photo glissée à l'intérieur. Des soldats. Un groupe de six hommes en tenue de combat. Ils étaient photographiés dans ce qui avait l'allure d'une base militaire, quelque part en plein désert. Les hommes avaient leurs armes dans leurs mains, certains souriaient, tous portaient la barbe, plusieurs avaient les cheveux longs. Ils avaient aussi des verres fumés noirs, du genre de ceux qu'arborent les triathlètes. Elle mit un temps avant de reconnaître Sam, l'avant-dernier de la rangée, à droite. Derrière la photo, il était écrit au stylo à bille, l'encre bleue à présent délavée: *Taliban Hunters, Kandahar, Afghanistan, 03-05-2011.*

Elle ne savait rien de Sam. Ou alors si peu. Il n'était pas bavard. Ce qu'il avait raconté de lui demeurait en surface. Sa fille, le centre d'entraînement en sports de combat qu'il possédait avec son frère, son besoin de solitude qui le poussait à vivre loin des gens, en retrait de la société. Il n'avait rien expliqué de plus. Elle lui avait posé quelques questions, mais il était resté muet. Elle comprit que c'était comme ça. Il l'avait écoutée, elle, sans broncher, sans l'ombre d'un jugement. Et ça l'avait surprise. Rassurée aussi. C'était ce qu'elle avait redouté le plus en se confiant, en déballant son histoire, parfois secouée, interrompue par les sanglots. Il l'avait écoutée. Sans prononcer un seul mot. Sans presque la quitter des yeux, avec une lueur dans le regard comme elle n'en avait jamais vu, comme elle n'en avait jamais rencontré chez aucun autre homme. Une lueur, une lumière étrange, à la fois sombre et accueillante, triste, bienveillante. Apaisante. Son regard la transperçait et il la réchauffait en même temps. Elle avait cru qu'en lui disant d'où elle venait, en lui racontant une partie de sa vie, qui elle était *vraiment,* elle avait cru qu'il la rejetterait comme elle l'avait été un nombre incalculable de fois. Elle était prête à ça, elle préférait mettre les choses au clair, ne pas attendre Dieu sait quoi. Elle tenait à s'ouvrir à lui, elle sentait qu'elle devait être franche. Aussi crue et directe qu'elle pût paraître.

Sam ne l'avait pas repoussée, pourtant, comme elle s'y était préparée. Quand elle se tut, elle tremblait de froid malgré la chaleur de la nuit. D'avoir parlé ainsi l'avait libérée, mais la douleur physique de ses blessures revenait, pulsait en elle. Ses bras, ses jambes, sa tête, son corps entier semblaient coincés dans un étau, un étau qui se rcsserrait. Elle sentait son cœur battre violemment dans sa poitrine.

Sam n'avait rien dit. Il s'était levé, avait posé délicatement une main sur son épaule. Puis il était entré dans la maison pour en ressortir un instant plus tard avec une couverture et un demi-comprimé de morphine. Il avait vu qu'elle souffrait. Il avait coupé la dose en deux, il ne voulait pas qu'elle force sur la drogue. Il l'avait aidée à se couvrir, il était retourné s'asseoir à ses côtés sur la chaise alors qu'elle prenait l'analgésique avec une gorgée d'eau.

— T'as pas à t'inquiéter, il avait dit. T'es en sécurité ici, je vais laisser personne s'approcher. Tu peux avoir confiance en moi.

Aussi bizarre que cela pût paraître à ses propres yeux, elle n'avait pas douté une seule seconde de ses paroles. Elle avait hoché la tête, puis elle avait refermé ses paupières, tirant un rideau sur la nuit. Elle s'était sentie bien tout à coup, infiniment bien, comme si tous les morceaux d'un puzzle se mettaient en place.

Elle tenait maintenant cette photographie entre ses doigts. Ainsi, Sam était un militaire. Ou, du moins, un ancien militaire. Elle ne connaissait pas grand-chose à l'armée ni aux soldats, mais à ce qu'elle comprenait, il appartenait à un groupe à part. Ces hommes en général ne portaient pas la barbe ni les cheveux longs, alors que ceux qu'elle voyait sur la photo, oui. Ils semblaient faire partie d'une équipe distincte, un genre de fraternité. Des mercenaires ? Non. Elle relut l'inscription au dos. *Taliban Hunters.* Chasseurs de talibans. Elle eut un frisson. Sam avait participé à la guerre en Afghanistan. Il avait fait quoi, là-bas ? Il chassait les talibans ? Pour vrai ? Pour… les tuer ? Elle était troublée.

Elle entendit une voiture s'approcher. Elle sursauta, tira le rideau et jeta un rapide coup d'œil par la fenêtre. Elle vit la Jeep argentée remonter le chemin. Elle respira à fond, rangea la photo à sa place, dans le livre. Elle sortit de la chambre en boitant pour aller à la rencontre de Sam.

24

Sam grillait la viande et les légumes sur le barbecue. Alexia était étendue sur la chaise longue. Il l'avait aidée à changer ses pansements. Elle guérissait bien, ses plaies ne montraient aucun signe d'infection, aucune rougeur. Les muscles de ses jambes étaient encore raides, cependant, et ses pieds, sensibles. Dans l'ensemble, elle s'en sortait sans trop de mal. Elle ne prenait plus de morphine, elle disait que ça lui faisait faire des rêves désagréables, elle préférait s'en passer. La douleur était tolérable, selon ce qu'elle assurait. Elle s'en tenait à l'ibuprofène. Sam était d'accord. Il n'avait jamais touché à cette cochonnerie qu'on lui avait prescrite voilà un an, alors que son dos le faisait terriblement souffrir. Il détestait se sentir dopé ou dans les vapes, même si la douleur lui coupait parfois le souffle. Alexia prenait la bonne décision, selon lui.

Elle tenait le roman de Barry Gifford, mais son regard se perdait vers le lac. Plus tôt, juste après que Sam était arrivé avec les courses pour le souper, un groupe d'enfants du camp de vacances étaient passés en canoë devant la maison. Il se faisait tard, pourtant, ça ressemblait à une dernière expédition avant la tombée de la nuit. Sam les avait salués de la main, et les enfants, surexcités, lui avaient répondu en criant, en riant et en le saluant à leur tour, levant leurs rames, les secouant en tous sens, faisant tanguer les embarcations, rendant leurs moniteurs nerveux. Sam avait ri. À ce moment, il avait surpris le regard d'Alexia posé sur lui. Il avait remarqué qu'elle l'observait depuis son retour. Il avait souri, puis il s'était lancé dans la préparation du repas.

Ce n'était rien de compliqué. Il avait acheté un bifteck de côte et des filets de poulet marinés. Il avait préparé les légumes, des poivrons, des tranches d'aubergine, des champignons sauvages. Alexia n'était pas végétarienne, contrairement à la fille de Sam, mais elle ne mangeait pas de viande rouge, d'où le poulet mariné. Au supermarché, il s'était arrêté dans la section des vêtements pour femmes, juste avant les caisses. Il s'était senti idiot à déambuler ainsi à travers les rayons avec son panier, mais bon, la cause était noble. Il avait choisi quelques habits pour Alexia, des tee-shirts, un chandail à manches longues, un short et un jeans, ainsi que des sous-vêtements. Là, il s'était trouvé parfaitement inepte. La plupart des machins qui s'offraient étaient soit en tissu léger, quasi inexistant et hyper sexy, soit taillés dans des rideaux de grands-mères. Il se rabattit finalement sur la collection sportive, le genre de truc que les filles mettaient pour le jogging ou une autre activité physique. Il y était allé à l'œil pour les tailles, se fiant à ce que portait Clara, bien qu'Alexia soit plus grande et plus élancée. Il avait vu juste. Lorsqu'il lui avait donné les vêtements, Alexia s'était changée, elle avait enfilé un tee-shirt et le short, c'était parfait. Ce n'était pas à la fine pointe de la mode – pour ce que Sam se préoccupait de la mode –, néanmoins, ça faisait l'affaire.

À présent, c'était lui qui l'observait. Il devait reconnaître qu'il était troublé. Il n'avait rien laissé paraître depuis deux jours, depuis qu'elle lui avait déballé son histoire, mais c'était pour le moins surprenant, ce qu'il ressentait. Pas vraiment un malaise, cependant il lui paraissait difficile de croire que cette fille, cette femme devant lui, avait été un garçon. Cela semblait inconcevable, presque irréel. Pourtant, c'était le cas. Alexia ne l'avait pas mené en bateau, elle n'avait rien inventé, rien caché. Il fallait du courage pour se confier ainsi à un parfait inconnu. Sam l'avait trouvée courageuse, en effet. Elle n'avait pas à le faire, personne ne l'y obligeait, elle aurait pu ne rien dire, garder ce secret pour elle. Sam lui était venu en aide, certes, mais elle ne lui devait rien. Pour lui, c'était normal, il l'avait sorti du pétrin. Alexia avait pris un risque en se livrant ainsi, sans fard. Elle était une femme transgenre et, si elle n'avait pas parlé, il n'en aurait probablement jamais rien su. C'était courageux. Oui. Admirable aussi.

Sa franchise était déconcertante. Autant que sa beauté. Il y avait cette blessure profonde, cette détresse qu'elle tentait de refouler de toutes ses forces, de toute son âme. Il y avait de la tristesse dans le bleu de ses yeux, comme une déchirure, mais aussi une fierté qui émanait de sa personne, qui lui était propre, une fierté qui criait son intense besoin de liberté. Il y avait une pureté en elle, pareille à une source d'eau claire, limpide. Alexia le bouleversait, Sam s'en rendait compte. C'était absurde peut-être. Peut-être que c'étaient des conneries, il ne pouvait pas le dire. Il n'avait pas ressenti un truc semblable depuis longtemps.

Son histoire, ce gars, Frank, la prostitution haut de gamme, ces merdes qu'elle avait traversées. Il s'était tendu plus d'une fois en l'écoutant, il avait serré les poings, les mâchoires, un vieux réflexe. Il ne savait pas ce qu'il ferait. Il connaissait ce genre d'hommes. Des rapaces. Des larves. Des saloperies de parasites. Voilà ce qu'ils étaient à ses yeux. Il voyait la peur d'Alexia quand elle en parlait, cette peur qui la tétanisait.

Il la regardait et il se demandait comment il pourrait agir. Elle était en sécurité ici pour le moment. Il pouvait la protéger, aucun doute. Mais elle n'allait pas demeurer cachée, recluse jusqu'à la fin de ses jours. Elle devrait reprendre sa vie en main, recommencer, elle était jeune, elle avait la chance maintenant de pouvoir repartir de zéro, elle ne pouvait pas continuer à vivre avec l'ombre d'un vautour au-dessus de la tête. Sam se questionnait sur Frank, sur ce qu'il pouvait faire pour le tenir éloigné d'Alexia. Les risques que celui-ci débarque, la trouve ici, étaient minces, et ce n'était pas un problème tant qu'il serait là. Mais après, quand elle se retrouverait seule, elle aurait toujours cette angoisse collée au ventre.

Durant le repas, ils parlèrent peu, chacun étant perdu dans ses pensées. Sam surprit à deux ou trois reprises le regard d'Alexia sur lui. Il ne releva pas. Lorsqu'ils eurent terminé, elle se proposa pour laver la vaisselle, mais il refusa, il voulait qu'elle se repose, il s'en chargea. De retour sur la terrasse, il vit qu'elle tenait quelque chose dans sa main.

— Elle était coincée entre les pages de ce livre, elle dit en montrant le roman de Gifford.

Sam saisit la photo qu'elle lui tendait. Les copains. Ses camarades. Ses *frères*. Bon Dieu. Il avait oublié cette photographie, mais il se souvenait avec précision du moment où elle avait été prise. Fin de journée, 3 mai 2011 à Kandahar. Oussama ben Laden avait été abattu la veille à Abbottabad, au Pakistan, par une unité des SEALs américains, et eux se préparaient à partir en mission, une « usine » de fabrication d'EEI, des engins explosifs improvisés ayant été repérés dans la région. C'était la routine, rien de vraiment compliqué, ils avaient déjà exécuté ce genre de boulot des centaines de fois. Seulement, rien n'est jamais simple à la guerre. Sam le savait. Ses copains le savaient. Ils ne prenaient rien à la légère. Une fois qu'ils avaient été sur place, les choses avaient dégénéré. Ils étaient attendus. Ils étaient prêts pour ça. Il y avait eu une tempête de plombs cette nuit-là, de plombs et de grenades, une saloperie d'averse de feu en direct de l'enfer. Par miracle, ils s'en étaient tirés indemnes, à part quelques blessures mineures. Les insurgés n'avaient pas eu cette chance, ils avaient été pulvérisés ainsi que leur commerce de bombes artisanales et de ceintures explosives. Mais il avait fallu l'aide du soutien aérien pour en venir à bout, ces gars-là étaient des enragés, ils ne lâchaient pas le morceau. Pas plus que Sam et ses hommes.

S'il avait oublié cette photo, il n'avait pas oublié les gars qui se trouvaient avec lui. Il y pensait chaque jour, chaque nuit. Doug était là, sur sa gauche. Qu'est-ce qu'elle faisait là, dans ce bouquin ? Clara avait dû la dénicher en fouillant dans la boîte en acajou qu'il gardait sur son bureau, là où il conservait ses rares souvenirs de combats.

— Ça remonte à quelques années déjà, dit Sam en rendant la photo à Alexia.

— Tu as fait la guerre en Afghanistan ?

— On peut dire ça, oui.

Son ton était froid, cassant, ce qui surprit Alexia.

Il alla s'appuyer sur la balustrade. La nuit tombait. Il resta là sans rien dire, la tête penchée.

Alexia laissa échapper un rire bref, nerveux, elle remit la photo entre les pages du livre.

— Je suis désolée, elle dit. Je voulais pas…

Sam se retourna vers elle :

— Non, c'est moi qui suis désolé, Alexia. Je, je parle pas de ça souvent, tu vois, j'aime pas trop. C'est du passé. Y a pas grand-chose à dire. J'ai été dans les Forces spéciales la majeure partie de ma vie. C'est terminé, maintenant. J'essaie de plus y penser.

— Les Forces spéciales ?

Il hocha la tête.

— Ouais. C'est nous qu'on envoie pour effectuer le sale boulot. Enfin, la guerre en soi est un sale boulot. On fait appel à nous quand ça paraît compliqué et infaisable. Nous, eh bien, on trouve toujours un moyen. On livre la marchandise.

Alexia hésita un instant.

— Ce qui est écrit au dos, les *Talibans Hunters,* c'était toi, je veux dire, c'était vous ?

Sam eut un sourire triste.

— Ouais, c'était nous. Les gars de mon unité.

Il plissa les yeux, regarda au loin. Il paraissait las soudain.

— On est plus que deux maintenant sur les six qui sont là-dessus. Trois de mes amis sont morts là-bas. Le quatrième…, il a, il a pas tenu le coup à son retour ici, il a choisi d'en finir.

Alexia regretta d'avoir abordé ce sujet, elle se sentait mal en voyant dans quel état cela mettait Sam.

— J'aurais pas dû parler de ça, je…

Sam secoua la tête, haussa les épaules.

— C'est ok, il dit. T'inquiète pas, c'est ok.

Il passa derrière elle pour retourner à l'intérieur et, sans même y penser, sans aucune intention, il effleura les cheveux d'Alexia du bout des doigts. Ce n'était rien, un geste inconscient de sa part. Ça aurait pu être une simple caresse du vent. Alexia sentit un frisson courir en elle, un frisson agréable. Doux, qui la réchauffa.

Lorsqu'il réapparut, Sam tenait deux bières dans les mains.

— T'en veux une ?

— Merci, dit Alexia en prenant la canette d'Asahi, une bière nippone que Sam venait de dégoupiller. D'habitude, j'évite l'alcool, mais il m'arrive de faire des exceptions.

Sam sourit, leva sa canette à sa santé, but une gorgée, puis il retourna à sa place, près de la balustrade, pour regarder le paysage qui s'offrait à lui, le lac, les montages, les dernières lueurs orangées du jour que l'obscurité s'apprêtait à avaler, la lune, les étoiles qui commençaient à s'étendre dans le ciel. Il ne se lassait pas de cette vue. Parfois, il restait là sans bouger presque toute la nuit, juste à cligner des yeux, à respirer, à attendre le lever du jour. Il appréciait le calme, considérait la beauté de ce qui l'entourait, la fragilité de chaque instant, les respirations du vent. Il était reconnaissant d'être là, d'être en vie, alors que d'autres n'avaient plus cette chance.

Alexia se leva et alla le rejoindre, elle s'appuya à ses côtés.

— Je peux te poser une question ?

— Oui, bien sûr.

— Tu as, est-ce que tu as tué des hommes ?

Sam tourna son regard vers elle.

— Oui, il dit d'une voix douce, basse. J'ai tué des hommes. C'est la guerre, Alexia. C'est pas un jeu, un truc qu'on fait pour s'amuser. J'ai tué des hommes et je n'en ai aucun regret, aucun remords. C'étaient des monstres, tu peux en être certaine, des pourritures. Des salauds prêts à n'importe quoi pour semer la mort et la destruction, sans aucun respect pour personne, sans aucun respect pour la vie. Pas un de ceux que j'ai tués n'aurait hésité à me trancher la gorge à la première occasion, tu vois, la mienne ou celle de mes camarades, ni celle d'une femme ou d'un enfant dans la rue. Des femmes et des enfants qu'ils ne se gênaient pas pour brûler à l'acide. J'ai vu des choses que tu ne pourrais même pas imaginer, Alexia, des choses... Alors, oui, j'ai tué des hommes. C'est comme ça. La guerre, c'est l'humanité déchue, dans sa plus grande noirceur, dans son indifférence la plus complète, totale.

Alexia posa sa main sur l'avant-bras de Sam.

— T'as pas à te justifier.

— Je sais, je vais pas le faire. Je veux juste que tu comprennes ce qu'il en est, voilà.

Elle comprenait. Une partie d'elle trouvait cela effrayant, mais elle comprenait. La guerre, son absurdité. L'horreur qui en découlait, les ravages qu'elle causait. Ce qu'elle broyait sur son passage depuis des siècles et des siècles. Vu d'ici, cela semblait irréel, et pourtant c'était sans fin, un sempiternel recommencement de cris, de rages, d'espoirs et de rêves carbonisés.

Sam termina sa bière en silence, Alexia ne toucha pas à la sienne, à peine y trempa-t-elle le bout des lèvres. Elle était fatiguée, et de se tenir debout, même avec un appui, ce n'était pas ce qu'il y avait de plus confortable pour ses pieds ni pour ses jambes, dont les muscles spasmaient encore sans prévenir, mais elle préférait rester là. Elle se sentait bien près de Sam. Elle aurait eu mille autres choses à lui demander, elle se retint. Elle n'osait pas s'avancer. Sam ne parlait pas beaucoup et elle respectait ça. Il observait, écoutait, il semblait veiller sur elle, l'air de ne pas y toucher. Quand elle lui avait raconté son histoire, il n'avait pas bronché. Elle comprenait mieux pourquoi maintenant, elle voyait d'où venait son calme, d'où il prenait naissance. Elle voyait ce qu'il portait en lui, cette force, cette soif de vivre aussi bien que ce désenchantement profond, douloureux, cette fracture ouverte à l'âme, une fracture qui ne guérirait peut-être jamais, mais qu'il s'efforçait de soigner dans le silence et la solitude, dans la contemplation du temps présent, de ses beautés fragiles, éphémères et sauvages. Sa façon d'être avec elle n'avait pas changé après ce qu'elle lui avait confié sur sa vie et ça la surprenait encore. Cela l'intriguait aussi.

— Tu es un homme étrange, Sam.

Il laissa échapper un rire :
— Pourquoi tu dis ça ?
— Je sais pas. Tu n'as rien de mystérieux, et pourtant tu l'es. Tu parles pas. Tu demandes rien. Je suis là, une inconnue que tu as ramassée sur la route, à moitié morte, à moitié folle, tu t'occupes de moi sans rien demander, sans que j'aie à te rendre de comptes. J'ai pas tellement l'habitude de ça, tu comprends ? Ça me fait drôle.
— T'as pas de comptes à me rendre, Alexia. J'attends rien de toi. J'attends rien de personne, en fait. Je veux juste que tu ailles mieux, que tu te remettes sur pied. Le reste…
— Je, je te choque pas ?
La question surprit Sam, elle le déstabilisa. Ça ne dura qu'un instant. Il reprit contenance.
— Me choquer ? Pourquoi ?
— Ce que je suis, continua Alexia, *qui* je suis. Ça te dérange pas ? Enfin, quand je te l'ai dit, tu es resté silencieux, tu, je pourrais te dégoûter, te rebuter, je…
— Hé, il la coupa en posant délicatement deux doigts sur ses lèvres. Non, tu me choques pas Alexia. Tu me *dégoûtes* pas, c'est quoi, cette connerie ? Tu es une femme. C'est ce que je vois. Une très jolie femme, même. Je vais pas te mentir. Oui, c'est troublant. Mais ça change rien à la personne que tu es. Et puis, en quoi ça me regarde ? Hein ? Qui tu étais avant, ça me concerne pas. C'est qui tu es aujourd'hui qui a de l'importance, c'est maintenant, c'est ce moment qui compte, le

reste n'est rien, je vois pas pourquoi j'irais chercher plus loin.

Alexia secoua la tête, prise entre l'envie de rire et celle de pleurer, c'était dingue. Personne ne lui avait jamais dit une chose comme celle-là.

— C'est pas tout le monde qui pense comme toi, tu sais.

— Je suis pas tout le monde, fit Sam. Mais va rien t'imaginer, je vaux pas mieux que personne, je suis qu'un vieil imbécile.

Il avait prononcé cela avec un clin d'œil, un peu d'ironie, avec une pointe d'autodérision. N'empêche, il n'en pensait pas moins.

25

Alexia eut l'impression que le temps venait de s'arrêter entre eux. Elle eut la vision de leurs trajectoires, deux trajectoires parallèles, étrangères l'une de l'autre, qui maintenant entraient en contact.

Elle tendit la main vers le visage de Sam. Elle l'effleura, sa peau, les rides près de ses yeux, l'os de sa joue, les poils rudes de sa barbe naissante. Ça ne dura qu'un instant.

— Merci, elle dit.

Un murmure. Un léger mouvement des lèvres.

Sam hocha la tête de manière quasi imperceptible.

C'était suffisant.

26

La fatigue gagna Alexia quand elle retourna s'étendre sur la chaise longue. Elle commença par somnoler, lutta pour rester éveillée, mais c'était peine perdue, elle finit par succomber et s'endormit.

Même si la nuit était tiède et que soufflait un vent chaud, Sam posa une couverture sur elle. Il rentra se préparer un café. Il se foutait bien de ne pas dormir, il sentait déjà que le moment était passé, que ça ne servirait à rien de lutter contre l'insomnie, c'était là pour rester, la caféine n'aggraverait pas son état. Il attrapa un carnet et un crayon, puis il revint s'asseoir près d'Alexia avec son café noir. Il la regarda longuement, intrigué, fasciné par sa présence, par sa beauté. Quelque peu chaviré encore une fois par ce qu'il éprouvait pour elle. Il trouvait cela étonnant, il ne savait quoi penser. Pourtant, il ne voulait pas se poser de questions, il acceptait ce qu'il ressentait, ce qui *était*. Il ne chercha pas à compliquer les choses, ses sentiments.

Vivre. Il fallait vivre, simplement.

Il griffonna deux ou trois phrases dans son carnet, la suite d'une histoire commencée une semaine plus tôt, mais il renonça rapidement. Rien n'accrochait, il n'en avait pas envie. Alexia occupait ses pensées.

S'appuyant contre le dossier de la chaise, il posa ses mains sur ses genoux, paumes ouvertes, offertes, et leva son visage vers le ciel étoilé. En Afghanistan, dans les rares moments d'accalmie, il méditait de cette façon, il se concentrait sur un seul point, il lâchait prise. Ce n'était pas une façon de faire le vide, c'était plutôt l'acceptation de ce tumulte qui l'habitait, son chaos initial. Il en prenait conscience, puis il laissait aller. Quand c'était terminé, souvent il pensait à Clara. En étant là, en combattant en terre étrangère, en luttant à bras-le-corps contre la terreur, il avait la profonde conviction de la protéger. Elle, et aussi Elisabeth, et les autres, ceux qui menaient une vie confortable au pays, sans véritables soucis de vie ou de mort, sans conscience de ce qui se passait réellement, de ce que les gens vivaient à l'autre bout du monde. Sam était un *protecteur,* comme ses frères d'armes, ils étaient des chiens de berger, des *sheepdogs.* Ils veillaient sur le troupeau. Luttaient contre les loups enragés. Voilà qui ils étaient en réalité. Mais ils étaient loin, si loin, et la mort était proche, si proche.

La mort. Là-bas, il la côtoyait et l'affrontait jour après jour, nuit après nuit. Protégeait-il vraiment les siens ? Il le croyait. Cette guerre avait-elle un sens ? Ce n'était pas à lui d'en juger. Mais cela avait-il du sens que des fanatiques s'emparent de la rédaction d'un journal, d'une salle de spectacle ou d'un supermarché et abattent tous ceux qui s'y trouvaient ? Cela avait-il du sens que ces fous de Dieu se fassent exploser dans les aéroports ou foncent dans les foules de touristes au volant de poids lourds ? Le 11 septembre 2001 avait-il du sens ? Rien de tout ça n'avait de sens. Seulement, ces choses existaient, se produisaient, se répandaient comme un cancer. Les guerres n'étaient que destructions, désolations, ravages, barbaries. Morts. Ce n'était pas Sam qui en décidait. Ni ses camarades. Sam était contre la guerre. Mais aussi, il était né pour ça, pour protéger, pour se battre au nom de ceux qui ne pouvaient pas, qui ne voulaient pas. Il avait toujours été ainsi, il l'avait toujours su. Le Kool-Aid du *peace and love,* il ne s'y abreuvait pas. Il était de ceux qui couraient vers le feu, pas de ceux qui le fuyaient. Il ne redoutait pas les flammes, et s'il fonçait en enfer, c'était pour repousser le diable.

Une étoile filante passa au-dessus du lac et Sam la suivit du regard jusqu'à ce qu'elle se perde dans l'infini de la nuit. Dans l'univers.

Petite, Clara faisait toujours un vœu lorsqu'elle voyait une étoile filante, et Sam souriait. Il lui disait :

— Je t'aime plus grand que l'infini de l'infini de l'univers.

Ce à quoi elle répondait :

— Moi, je t'aime plus que plus que cela, je t'aime... gros comme la Lune.

Elle l'aimait gros comme la Lune et il riait en lui embrassant le front.

Clara. Il se demandait si elle lui en voulait d'avoir été le père qu'il était. Un père absent, même entre deux missions, entre deux déploiements, toujours en entraînement ou presque. Quand il était avec elle, il essayait de rattraper le temps, il faisait mille choses pour cela, entièrement voué à elle, ce qui n'empêchait pas qu'il avait raté une grande partie de son enfance. C'était une chose qu'il ne pourrait plus jamais rattraper maintenant.

Elisabeth n'avait pas tenu le coup. Il lui en avait voulu. Bon Dieu, oui ! Il lui en avait voulu. Elle l'avait mis à genoux en le quittant, en emmenant la petite. Elisabeth était la seule femme qu'il avait jamais aimée. Il en avait connu d'autres par la suite, bien sûr, mais aimé comme elle, non, jamais, pas de cette façon. Il n'y avait qu'elle, et Sam croyait encore qu'il n'y aurait qu'elle. Cependant, l'opérateur qu'il avait été, le guerrier, avait pris toute la place. C'était son travail qui comptait et il était un des meilleurs dans ce qu'il faisait. Elisabeth en avait eu assez. Elle en avait eu assez de rester à la maison et de souffrir en silence, de s'inquiéter à tout moment du jour et de la nuit. Elle redoutait que le téléphone sonne ou que l'on frappe à la porte à des heures incongrues. Elle ne dormait plus, prenait des calmants. Ça avait suffi. Elle ne voulait plus être rongée par l'angoisse, elle ne voulait plus avoir l'impression que ses nerfs allaient la lâcher. C'était intenable, elle n'était pas faite pour cette vie. Elle l'avait cru, elle s'était trompée. Alors qu'il revenait d'un long déploiement de plus de six mois, à peine avait-il déposé son barda qu'elle lui lança un ultimatum : soit il quittait les Forces spéciales, soit c'est elle qui le quittait. Elle savait que Sam n'était pas homme à plier devant la contrainte, elle le connaissait trop bien. Elle savait aussi qu'il aurait été prêt à mourir plutôt que de se rendre à l'ennemi, c'était même une des choses qui l'attiraient et l'effrayaient le plus chez lui, cette attitude résolue, inébranlable devant les obstacles, cette absence de peur qui était loin d'être de la témérité ou de la bravade. Lui lancer un ultimatum, le forcer à choisir, ce n'était pas la bonne stratégie, mais Elisabeth était à bout. Sam avait choisi. Son entêtement avait brisé son couple. Elisabeth s'y attendait. Elle plia bagages, elle partit vivre en Oregon, où elle avait demandé à l'entreprise qui l'employait d'être mutée. Elle avait longtemps rêvé du Nord-Ouest pacifique. Elle avait eu une occasion et l'avait saisie. Elle s'était elle-même arrachée à Sam. Deux ans plus tard, elle s'était remariée avec un homme qui passait ses week-ends à tondre la pelouse et à entretenir le jardin, à bichonner son coupé Mercedes S560. Le téléphone pouvait maintenant sonner en paix.

Sam avait connu une période affreuse par la suite. Il avait galéré, il n'en était pas fier. Alors qu'il n'avait jamais été porté à boire, à se soûler de manière excessive, il s'y était mis. Il pouvait en prendre, il pouvait se défoncer solidement, pas grand-chose ne l'arrêtait. Il s'agissait de le mettre au défi pour que Sam vide le bar et plus. Il n'avait plus rien à foutre de rien. C'était Danny qui l'avait sorti de là, Danny qui lui avait brassé la cage, botté le cul. Son petit frère l'avait ramené sur terre.

En fait, ça n'avait pas été si simple. Les deux s'étaient battus dans le stationnement d'un pub de Gatineau fréquenté par les membres des Forces spéciales. Danny était venu rendre visite à Sam pour lui remonter le moral et ils étaient sortis après un souper que Sam avait déjà copieusement arrosé. Danny ne buvait plus depuis longtemps, il avait eu son lot de problèmes avec l'alcool et la dope. En voyant à quel point Sam y allait, il avait essayé de le stopper, de le raisonner. Sam avait rigolé, il avait descendu une pinte de bière et un verre de Jack Daniel's comme si de rien n'était. Danny avait secoué la tête et, encore une fois, il avait tenté de le calmer. Il avait voulu l'empêcher de commander une autre tournée, les choses s'étaient envenimées. Sam l'avait repoussé :

— C'est quoi, ton problème, *man*? Crisse-moi patience !

À l'extérieur du bar, dans le stationnement, Danny s'était interposé entre Sam et sa voiture. C'est à ce moment que ça avait dégénéré. Une bagarre de dingues, deux fous furieux. La police avait dû intervenir pour les séparer, sinon ils se seraient entretués. Deux frères costauds, hyper-entraînés, un solide combattant UFC et un gars des Forces spéciales qui, même soûl, ne donnait pas sa place quand il s'agissait d'en découdre. Ils avaient passé la nuit chacun dans une cellule à se regarder en chiens de faïence.

— Qu'est-ce que tu crois que tu fais, hein ? avait demandé Danny.

— Ta gueule, avait répondu Sam.

— Tu veux qu'on te prenne en pitié, c'est ça ?

— *Fuck you, man. I don't give a shit about what you think.* Je t'ai rien demandé.

— Bon Dieu, Sam ! T'es en train de foutre ta vie en l'air !

— *So what ? Give me a fucking break.* Laisse-moi tranquille.

À une époque, c'était Sam qui avait tenu ce genre de discours à un Danny plus jeune, défoncé à l'os, complètement paumé. Danny le lui avait rappelé. Sam avait grogné : « J'm'en fous. » La tête entre les mains, il avait l'impression que son cerveau allait exploser dans sa boîte crânienne.

— Quelque chose qui va pas ? s'était enquis Danny avec une pointe de sarcasme.

— Oui, c'est toi qui vas pas, avait sifflé Sam. Quand tu parles, mes oreilles saignent.

— Ce serait pas plutôt parce que je t'ai joliment pété la gueule ?

Sam avait ricané :

— Tu rêves, ma chérie. Tu frappes comme une fillette.

Ils avaient déliré comme ça pendant un moment, deux imbéciles. Le jour se levait. Sam avait fini par éclater de rire, réalisant combien il était idiot dans son comportement, misérable à se complaire dans sa peine. Il avait ri, Danny l'avait imité. Le dossier était clos. Sam se payait un mal de bloc carabiné. Dehors, il s'était excusé. Il était désolé. Ce n'étaient pas des conneries, les trucs lui échappaient et il allait se reprendre. Il s'était planté. Ce n'était pas dans ses habitudes de rester étendu au sol pour le compte, les bras en croix. Les deux frères s'étaient donné l'accolade. Chacun avait le visage bien amoché, ils savaient en donner aussi bien qu'en prendre. Ils avaient éclaté de rire à nouveau.

Sam s'était secoué les puces. Il avait fait le ménage dans ses affaires, mis la maison en vente, loué un appartement près de la base. Il était reparti du début, ce dont il avait grandement besoin. Il s'était remis à l'entraînement, avait diminué considérablement l'alcool. Il s'était fixé une limite à ne pas dépasser. Les six mois suivants, Sam travailla à former de nouvelles recrues pour les Forces spéciales. Dès qu'il en eut l'occasion, il alla retrouver Clara sur la côte ouest. C'est ce qu'il ferait maintenant, des allers-retours constants entre le Québec et Portland, Oregon.

Les souvenirs se bousculaient dans l'esprit de Sam sans qu'il puisse rien y faire, une bouffée de nostalgie qui remontait en surface. Il secoua la tête en rigolant à part lui alors qu'une autre étoile filait au-dessus du lac.

Il avait toujours mené sa vie comme il l'entendait. Il avait réalisé ce dont il rêvait quand il était gamin. Il était devenu un commando. C'était ce qu'il avait souhaité, d'aussi loin qu'il se rappelât. Il avait huit, neuf ans, et bien que le terme fût plus ou moins vague dans son esprit, c'était ce qu'il voulait être, un commando, un soldat d'élite. À cet âge-là, ça signifiait aventures, excitations, dangers. Ça signifiait aussi aller à la guerre, se battre, mais c'était encore une notion plutôt abstraite, cinématographique. Il se nourrissait de films de ce genre qu'il écoutait sur la petite télévision familiale en noir et blanc. *Le Monde de Disney* n'avait pas la cote à ses yeux, à moins qu'il ne s'agisse d'épisodes mettant en vedette des animaux perdus cherchant par tous les moyens à rentrer chez eux. Les histoires de guerre, c'était ce qu'il voulait. Il se rappelait encore *The Guns of Navarone,* ainsi que *Where Eagles Dare* avec Clint Eastwood. Plus tard, ce seraient les films sur le Vietnam en vidéocassette qu'il userait à la corde, *The Deer Hunter, Apocalypse Now.* Il s'était même faufilé au cinéma, un après-midi, pour voir *First Blood* avec Sylvester Stallone, caché au fond de la salle. Il avait onze ans.

Mais c'était du cinéma. Ça restait du cinéma. De la poudre aux yeux. Il désirait plus, beaucoup plus. S'il avait pu s'enrôler à un jeune âge, il l'aurait fait sans hésiter. Naturellement, c'était impensable. Il avait pris son mal en patience. Il avait cette chose en lui, ce feu, cette tempête, ce chaos qui le brûlait. Sam ressentait le besoin de se dépasser jour après jour, de toujours pousser ses limites à l'extrême. Il se mettait en danger, peu importait les conséquences, juste pour voir jusqu'où il pouvait se rendre. Petit bonhomme, il grimpait aux arbres pour en atteindre la cime, il sautait du haut des toits, s'élançait avec son vélo sur des pentes raides, dangereuses. Les bleus, les bosses, les contusions multiples et les fractures, il connaissait, ce n'était pas ça qui l'arrêtait. Il était casse-cou, parfois téméraire, il semblait n'avoir peur de rien.

Avant de se joindre à l'armée, il passa son adolescence à boxer. C'était un exutoire, une manière de canaliser son énergie, d'apprivoiser et d'apprendre la discipline, celle du corps autant que celle de l'esprit. Il commença à douze ans après avoir réussi à arracher la permission à ses parents. Ni sa mère ni son père n'étaient chauds à l'idée de le voir monter sur un ring pour se battre. Mais Sam ne lâcha pas le morceau, il revint sans cesse à la charge, il voulait essayer, il voulait s'entraîner, il voulait combattre. Il réussit à remporter la mise. Il se débrouillait sur le ring. Il encaissait bien et savait donner le change. Il était solide, fonceur, bagarreur. Danny, qui était tout jeune, le suivait souvent au club de boxe. En réalité, Danny le suivait partout dès qu'il le pouvait. Il était de six ans son cadet et était un véritable pot de colle. Il idolâtrait son grand frère. Sam, de son côté, l'adorait. Et non seulement il l'adorait, mais il eut l'heureuse surprise de découvrir que Danny était un véritable *chicks magnet,* un aimant à jolies filles. Ainsi, quand c'était possible, Sam l'emmenait dans ses virées. Danny faisait le clown, charmait son assemblée de jeunes filles et Sam en récoltait les fruits. L'entente était parfaite. Un paquet de jujubes en forme d'oursons et la permission d'être avec Sam, cela suffisait à Danny, qui ne détestait pas non plus, malgré son âge, avoir l'attention de ravissantes adolescentes.

Dès qu'il atteignit sa majorité, Sam s'engagea dans les Forces armées sans en parler à personne, ce qui jeta un froid entre ses parents et lui. Ceux-ci auraient souhaité le voir poursuivre ses études, devenir officier. Sam ne voulait rien savoir d'être officier. Il voulait être sur le terrain, il voulait se battre, prendre une part active aux missions, sur le front, en première ligne. Il lui fallut cinq ans avant d'avoir la chance de faire partie de la sélection pour accéder aux Forces spéciales, à l'unité de contre-terrorisme canadienne. Il ne la rata pas. Avant, il avait participé à des missions de paix en Bosnie, au Rwanda. Il avait vite compris que « mission de paix » signifiait se faire tirer dessus sans possibilité de répliquer. Une chiennerie. Creuser des tranchées et avoir un *sniper* caché au loin qui tirait constamment des balles à ses pieds, juste pour s'amuser, juste pour lui foutre la trouille, très peu pour Sam. La veille de ses vingt-quatre ans, il passa aux Forces spéciales. À présent, ces saloperies de *snipers,* c'est lui qui les traquerait. Et pas seulement pour leur foutre la trouille.

Il pensait à cela. Il avait quarante-sept ans maintenant. Plus de la moitié de sa vie, il l'avait passée comme opérateur dans les Forces armées, parmi l'élite, la pointe de la lance. *The tip of the spear.* Sam se demandait ce qu'il en restait. Des blessures, des cicatrices, le dos bousillé, le cerveau qui tombait parfois dans la noirceur la plus complète, dans des profondeurs abyssales. Il n'avait pas de regret, sauf pour Clara. Sa Clara. Il avait sincèrement voulu changer le monde, le protéger, tenir tête au mal. C'était pour certains une vision manichéenne des choses. Peut-être s'était-il trompé. Mais il en doutait. Il avait vu le pire de l'homme, ce que peu de gens pouvaient même concevoir comme possible. Il avait vu le pire, mais aussi le meilleur. Il avait vu des hommes faire le sacrifice ultime dans l'unique but d'en sauver d'autres. Le bien, le mal, tout cela existait, à différents degrés, pas besoin de croire en Dieu ni au diable. C'était un combat sans fin.

Alexia bougea sur la chaise longue, dans son sommeil. Sam la regarda. Il la considérait comme une beauté mystérieuse. Fragile et forte. Elle avait du courage, plus que certains hommes n'en auraient jamais.

Ce gars qui lui courait après, ce Frank. Sam y réfléchit. Le tenir à distance n'était pas bien difficile. Et s'il s'approchait, Sam saurait s'en occuper. Serait-ce suffisant?

Alexia eut un sursaut, un spasme. Elle gémit, se tordit sur la chaise, puis elle se calma de nouveau.

Sam se leva, il la prit délicatement dans ses bras. Elle ouvrit les yeux, interloquée, perdue dans la profondeur de son sommeil.

— Qu-quoi ? elle fit.

— Ça va, dit Sam, ça va, accroche-toi à moi.

Elle glissa un bras autour de son cou, appuya sa tête contre son épaule. Sam traversa la terrasse, ouvrit la moustiquaire de la porte coulissante avec son pied, marcha jusqu'à la chambre de Clara. Il déposa Alexia sur le lit, la couvrit, resta un court instant à l'observer. Puis il retourna sur la terrasse. S'installer dans sa nuit.

27

Tôt le matin, Sam s'entraînait dans le garage adjacent à la maison. Il avait transformé l'endroit en gymnase personnel, avec l'équipement de base, tout ce dont il avait besoin pour effectuer des tractions, soulever des poids, suer sur le rameur, ne conservant qu'un tiers de l'espace en atelier, là où il rangeait ses outils et où il pouvait bricoler. Après son entraînement, soit il allait courir sur les routes et les sentiers autour du lac, dans les montagnes, soit il allait nager, tranquille, coupé du monde, fendant la surface de l'eau presque sans bruit tandis que l'aube se déployait sous une brume blanche et spectrale.

Lorsqu'il revenait à la maison après sa nage ou sa course, Alexia était levée, elle avait préparé du café. Elle le regardait de la terrasse, ayant maintenant adopté son habitude à lui, celle de se tenir là, debout, et d'admirer le paysage. Elle lui souriait. Il s'était installé un rythme entre eux, une respiration paisible. Ils s'apprivoisaient sans rien brusquer. Alexia guérissait, elle recommençait à vivre. Sam s'habituait à sa présence. En réalité, elle lui apparaissait comme étant parfaitement naturelle. Elle était là et c'était une bonne chose.

Il avait repris ses activités à l'Académie Shōri. Il y passait quatre à cinq heures par jour, veillait au bon fonctionnement de la bâtisse et des équipements, supervisait les dernières séances de *sparring* de Rose avant son combat. Il faisait son boulot, concentré comme il se devait, une partie de son esprit cependant préoccupée par Alexia, par la situation dans laquelle elle se trouvait. Il n'aimait pas qu'elle soit seule à la maison. Enfin, elle ne risquait rien pour le moment. C'était ce qu'il se disait pour se convaincre, mais il y parvenait à moitié.

Quand il rentrait en milieu d'après-midi, Sam s'attaquait à la souche sur le terrain. Il avait commencé le travail, mais cela s'avéra plus compliqué que prévu. Il s'échina là-dessus, sur ce monstre, sur cette bête qui semblait enracinée jusqu'au centre de la Terre. Alexia voulait l'aider, mais son épaule disloquée était encore sensible. Elle lui apportait un soutien moral. Elle lui parlait de tout et de rien, elle le faisait sourire, rire parfois. Sam creusait et piochait, dégageait les racines le plus possible avant de les couper à la hache. Le soleil chauffait sa peau, la sueur et le sel brûlaient ses yeux. Le bas de son dos était douloureux, mais il y était habitué, ce n'était presque rien. À l'occasion, en s'essuyant le visage, il surprenait le regard d'Alexia, elle l'observait. Ça lui faisait drôle, il avait depuis longtemps perdu l'habitude d'avoir une femme à ses côtés. Il était de jour en jour plus fasciné par la beauté d'Alexia. Il ne disait rien, il reprenait le travail. Quand il en avait assez, il allait piquer une tête dans le lac pour se rafraîchir.

Lorsque la souche fut entièrement dégagée, Sam la harnacha avec de lourdes chaînes, les attacha à l'arrière de la Jeep. Le moment était venu de donner un dernier coup, le coup de grâce. Il embarqua dans le 4X4, mit le moteur en marche, embraya, appuya doucement sur l'accélérateur. La Jeep avança, puis s'immobilisa, força à tirer. Rien ne bougea, ou alors à peine. Sam appuya de nouveau sur l'accélérateur, graduellement, les roues mordirent dans la pelouse, déchirèrent le sol, s'enfonçant dans la terre. Il appuya encore. Vint ce craquement sinistre, quasi douloureux, profond, et les dernières veines de l'arbre cédèrent, la souche s'arracha enfin des entrailles de la terre. La Jeep bondit vers l'avant et l'énorme masse roula derrière, vaincue. Sam la tira lentement jusqu'à la plage. Alexia, qui se tenait en retrait, vint le rejoindre en souriant.

— C'est du beau travail, elle dit. Un sacré morceau !

Sam détacha les chaînes.

— Plutôt, oui. J'étais pas certain d'en venir à bout.

— Tu vas faire quoi avec ça ?

Sam haussa les épaules.

— Je vais la laisser sécher là, au soleil, attendre l'automne pour la brûler, y a pas grand-chose d'autre à en tirer.

Il commença à ranger les chaînes dans le coffre de la Jeep. Alexia resta près de lui un instant, puis elle dit :

— Je m'occupe du souper. Ça te va ?

— Ouais. C'est parfait.

Il passa une dernière heure à remblayer le trou béant formé sur le terrain, puis à nettoyer et ranger les outils. Il prit une douche, enfila des vêtements propres. Il retrouva Alexia sur la terrasse. Elle avait mis la table, préparé une salade, fait griller du saumon. Elle avait même ouvert une bouteille de vin blanc, un chardonnay californien, ce qui n'était pas dans ses habitudes. La nuit était tombée à présent et, pour la première fois depuis longtemps, un vent léger et frais descendait des montagnes.

— T'as jamais pensé refaire ta vie avec une autre femme après ton divorce ? demanda Alexia.

Ils avaient presque terminé. Surpris, Sam leva les yeux sur elle, puis il esquissa un sourire, repoussa son assiette en reculant sur sa chaise.

— Non. Jamais. Je suis pas très bon là-dedans, j'assurais pas vraiment. De toute manière, j'étais toujours parti. Être avec une personne pour la faire souffrir au bout du compte, ça mène à rien. Non ? Et maintenant. Maintenant, je suis devenu sauvage, juste un loup solitaire en fin de parcours.

Il fit un clin d'œil. Alexia rit. Elle secoua la tête.

— Je crois rien de ça.

— Ah non ?

— Non.

Leurs regards entrèrent en contact, restèrent soudés. Ni l'un ni l'autre ne cillèrent.

— C'est la vérité, pourtant, dit Sam.

— T'as rien d'un sauvage.

— Tu me connais pas, Alexia.

Ils s'observèrent encore une dizaine de secondes, mais, cette fois, Sam décrocha le premier, non par gêne, mais plutôt par crainte qu'Alexia voie la noirceur cachée au fond de son cœur, les déchirements enfouis, la froideur, le trou qu'il ressentait à l'intérieur, cette saloperie de gouffre. Cette violence.

Un malaise plana entre eux un court instant. Sam regretta le ton qu'il avait employé, ça lui avait échappé. Alexia fixait la table devant elle, la main posée sur le pied de son verre.

— Je vais pas rester longtemps, elle dit. T'en as déjà fait beaucoup pour moi. Je vais pouvoir me débrouiller maintenant.

Sam secoua la tête. Il se sentait vraiment nul.

— Je suis désolé, Alexia. C'est pas ce que je voulais laisser entendre. T'as pas à partir. Pour être franc, je veux pas que tu partes. Tu peux rester ici autant que tu veux. Je suis juste un idiot.

Elle eut un rire bref, frissonna soudain. Il y eut cet éclat sombre qui traversa son visage.

Elle ne parlait pas de Frank, ce qui ne l'empêchait pas de penser à lui. Sa peur remontait alors en surface, devenait quasiment palpable. Sam sentit son trouble à cet instant. Il sentit une mauvaise vibration émaner de son corps, une onde de choc qui la secoua et se propagea jusqu'à lui.

— Il me lâchera jamais, elle dit. Peut-être que le mieux serait que je traverse aux États-Unis, que je refasse ma vie là-bas. Je sais pas, je sais pas, Sam.

Sam posa sa main sur l'avant-bras d'Alexia.

— Pour le moment, t'es ici, ok ? Te casse pas la tête. On va trouver une solution.

— Laquelle ?

— On va trouver.

28

Montréal. Centre-ville.

Sam était stationné devant l'immeuble. Il sirotait un café américano qu'il avait pris au Starbucks tout près. Si le temps s'étirait, si l'attente était trop longue, il aurait toujours l'option d'aller s'installer sur la terrasse. Jusqu'à ce que Frank sorte de là, de sa tanière, pour le voir en personne.

Alexia dormait encore quand il était parti. Il avait laissé une note, disant qu'il en avait pour une partie de la journée. Il n'avait pas précisé les raisons. Elle n'avait pas à savoir. Il était parfois préférable que certaines choses demeurent dans l'ombre, dans le secret.

Pour le moment, il n'avait aucune idée de ce qu'il allait faire. Il avait trouvé l'adresse dans les papiers d'Alexia, sur son permis de conduire. Sam voulait jauger Frank, voir quel genre d'homme il était. Il avait effectué des recherches sur le Web, recherches plus poussées que la moyenne. Il s'y connaissait assez en informatique – dans son unité des Forces spéciales, un camarade l'avait initié aux techniques de *hacking* – pour pouvoir infiltrer des serveurs, contourner des systèmes de sécurité. Il n'avait rien d'un professionnel, il ne pouvait pas prendre de risques énormes, mais pour avoir accès à des données personnelles, il se débrouillait, ce n'était pas compliqué quand on savait comment procéder. Ce n'était pas légal, mais ce n'était pas compliqué. Frank était fiché par la police, ce qui n'était pas une surprise. Trafic de drogue, proxénétisme. Une tentative de meurtre qui remontait à une dizaine d'années. C'était un indépendant, mais lié à certains gangs, notamment les motards. Sam s'attendait à un truc du genre.

Il voulait jauger Frank. Ensuite ? Les options étaient limitées. Il s'agissait de le tenir à distance, de s'assurer que celui-ci n'allait pas chercher à retrouver Alexia. Lui foutre la trouille serait une possibilité. Ce n'était pas joué d'avance, cependant, et c'était une arme à deux tranchants. Frank ne donnait pas l'impression de s'en laisser imposer, il avait les moyens et les ressources pour réagir. Sam ferait mieux de ne pas s'exposer, sauf en dernier recours.

Quand Frank apparut, il était passé dix heures. Il quitta l'immeuble par la porte principale, accompagné par une jeune fille. Si elle avait dix-huit ans, c'était tout juste. Il la tenait par la taille, ils remontèrent la rue vers le nord. Sam sortit de la Jeep, leur emboîta le pas à distance, sur le trottoir opposé. Quand ils tournèrent à droite dans la rue Sainte-Catherine et traversèrent dans sa direction, Sam leur donna du jeu, il tourna le dos, prit son portable, composa un numéro, faisant semblant d'effectuer un appel. Il retarda ainsi sa filature d'une poignée de secondes. En arrivant au coin de la rue, il les vit entrer dans un restaurant, une centaine de mètres plus loin. Il les rejoignit sans se presser. Un bistro branché qui servait des déjeuners hors de prix. Frank et la fille étaient installés à une banquette au fond de la salle, près du corridor qui menait aux toilettes et à la sortie de secours. Sam attrapa un journal, s'assit au comptoir. Il y avait un grand miroir devant, ce qui lui permettait de les observer sans problème. Il garda ses Oakley noires, la lumière du jour, aveuglante, bavait jusque sur le zinc. Il n'avait pas faim mais, pour la forme, commanda des toasts ainsi qu'un café. Il feuilleta le journal, levant son regard à intervalles réguliers en direction de Frank. La fille et lui ne se parlaient pas. Comme la plupart des gens autour, ils étaient plongés chacun dans son cellulaire, refermés dans leur monde. La fille buvait un verre de jus, mélange de fruits frais du jour. La serveuse déposa devant Frank une assiette de bagel au saumon fumé. Il n'y toucha pas. À un certain moment, il prit un appel, se leva, disparut vers les toilettes. Sam se redressa sur son siège. Il décida d'aller pisser.

Frank était là, debout près des lavabos, son appareil collé à l'oreille. Il discutait au téléphone. Sam s'installa devant un urinoir. Frank riait et parlait fort. Il ne semblait pas être dérangé par la présence de Sam. La conversation que ce dernier entendait était à sens unique, décousue. Il comprenait que Frank parlait à un autre homme, qu'ils se fixaient un rendez-vous, un truc du genre, d'autres banalités.

Quand il eut terminé, Sam alla aux lavabos. Les deux hommes se retrouvèrent côte à côte. Frank tournait le dos à Sam, qui était penché vers le miroir et se savonnait les mains. Ce qui lui traversa l'esprit à cet instant, la facilité avec laquelle il aurait pu se débarrasser de Frank, lui tordre le cou, c'en était presque comique. L'enculé ne verrait rien venir. Frank ne pouvait savoir, mais une fraction de seconde dans l'esprit de Sam, il gisait par terre, la nuque brisée, alors que Sam disparaissait tranquillement par la sortie de secours.

Frank raccrocha, rangea son iPhone dans la poche intérieure de sa veste. Il jeta un rapide coup d'œil à Sam avant de se laver les mains à son tour.

— Belle journée, pas vrai ? il dit.

— Ouais, répondit Sam. Belle journée.

29

Sam reprit sa place au comptoir, accepta d'autre café, même s'il avait sa dose. Il demanda l'addition.

Sur la banquette, Frank parlait à la fille. Elle semblait nerveuse. Frank lui souriait, lui tenait les mains sur la table, les caressait. Il lui parlait doucement, avec gentillesse, mais ses yeux étaient froids, calculateurs. Le malaise de la jeune fille était palpable, elle l'écoutait en hochant la tête, en fixant la table.

Un homme entra dans le restaurant, balaya l'endroit du regard avant de se diriger vers le fond de la salle, là où se trouvaient Frank et la jeune femme. Sam ne manquait rien de la scène. Il aurait voulu s'interposer, mais c'était impossible. L'homme s'assit près de la fille, glissa un bras sur ses épaules. Il discuta avec Frank, lui remit ce qui semblait être une enveloppe, avec discrétion. Frank sourit. L'homme se leva, invita la fille à le suivre. Elle eut une seconde d'hésitation, elle ressemblait à un animal pris au piège. Elle sourit finalement, se leva. Sam pensa à Alexia, il serra les dents. L'homme et la fille passèrent derrière lui. Il sentit le parfum doux de la jeune femme. Il ne pouvait rien pour elle. Pas là. Pas ici, pas maintenant. Et ça le faisait chier. Le visage d'Alexia s'imposait dans son esprit. Il lança un coup d'œil en direction de Frank à travers le miroir. Ce dernier était déjà ailleurs, concentré sur son téléphone.

Quand il quitta le restaurant quinze minutes plus tard, Sam hésita à le prendre en chasse. De l'avoir suivi aux toilettes n'était pas la meilleure idée. Frank l'avait remarqué, Sam se trouvait ainsi compromis, il ne pouvait plus courir de risques et l'approcher de trop près.

N'empêche. Il décida quand même de le suivre à distance pour voir où il allait, quitte à le perdre de vue. La rue Sainte-Catherine était bondée de touristes qui magasinaient sous une chaleur dense, étouffante. Bien qu'il n'aimât pas particulièrement cela, Sam avait l'habitude d'évoluer dans les foules, il arrivait à garder Frank dans son champ de vision sans difficulté, même si ce dernier était plusieurs mètres devant lui. Quand il le vit entrer au Mansfield Club Athlétique, il sut qu'il ne pourrait aller plus loin. Entrer là, même pour y jeter un rapide coup d'œil, serait une erreur. Il rebroussa chemin, retourna à sa Jeep.

Maintenant qu'il avait vu Frank, Sam avait une bonne idée d'ensemble du personnage. Il n'était pas impressionné. Il ne pouvait juger à long terme, mais il estimait ne pas avoir à s'inquiéter en ce qui avait trait à Alexia. Dans l'immédiat.

Frank paraissait être retourné à ses affaires, à son *business* de merde. Il ne donnait pas l'impression d'être désespérément à la recherche de quelqu'un, qui plus est de sa *fiancée*. Il ne semblait pas se morfondre, crevé d'angoisse, alors que moins d'une semaine plus tôt la jeune femme qui partageait sa vie s'était balancée hors de son véhicule pour disparaître en pleine nature. Frank se portait comme un charme, à ce qu'il voyait. Bien sûr, ça ne voulait rien dire, Sam en était conscient. Il avait déjà vu des pourritures d'insurgés jouer les bons garçons pendant des mois avant d'aller se faire exploser en plein milieu d'une cour d'école, entourés d'enfants. Un rat restait un rat, même si on lui enfilait un costume trois pièces et qu'on le parfumait.

Sur le chemin du retour, Sam se demanda s'il était raisonnable qu'Alexia sorte de sa tanière. Elle ne pouvait s'enfermer indéfiniment, il fallait qu'elle bouge, qu'elle change d'air. Elle guérissait, physiquement elle se portait de mieux en mieux, elle avait besoin de s'activer, de reprendre contact avec le monde réel. Elle pourrait commencer par l'accompagner au Shōri tout en demeurant discrète. Il n'était pas nécessaire qu'elle s'expose à la vue de tous, mais elle pouvait retrouver un rythme de vie plus normal. Frank, à plus de cent trente kilomètres de là, n'était pas une menace directe. Sam envisageait bien sûr la possibilité que Frank ait engagé quelqu'un pour chercher Alexia à sa place, il ne devait pas négliger cela. Si tel était le cas, il paraissait cependant difficile de s'en assurer. Pour le moment, il fallait ouvrir l'œil et veiller sur elle. Ce qu'il ferait.

30

Le combat de Rose approchait à grands pas. Elle était dans la cage d'entraînement, dans l'octogone, elle se livrait à une de ses dernières séances de *sparring*, ajustait sa stratégie, travaillait ses mouvements. Après cela, il suffirait de maintenir la forme, de conserver l'appétit. En faire juste assez. Ne pas s'épuiser, ne pas se brûler, garder le tranchant de la lame bien affûté.

Sam regardait Danny. Il éprouvait de l'affection pour son frère. Plus qu'il n'aurait osé l'avouer. Cela avait toujours été. Sam l'admirait aussi, sachant que rien n'avait été simple pour lui et qu'il avait failli se foutre en l'air alors qu'il n'avait même pas vingt ans. Aujourd'hui, c'était différent. Sans lui, l'Académie Shōri n'existerait pas. Il était devenu un entraîneur reconnu, respecté. Il avait rencontré Rose, elle était maintenant toute sa vie.

Quand Sam s'était joint aux Forces armées, à la fin des années 1980, Danny s'était engagé sur la mauvaise pente. Il n'était encore qu'un adolescent, mais il avait perdu ses repères au départ de son grand frère. Il sombra dans une sorte de dépression précoce. Plus rien ne lui faisait envie, il tournait en rond, glandait dans sa chambre au sous-sol, enfermé dans l'obscurité, il s'ennuyait. Quand Sam avait quitté la maison familiale, Danny avait eu l'impression qu'il l'avait abandonné, comme s'il l'avait trahi. Depuis que Danny était petit, Sam avait été là, veillant sur lui, jamais il ne l'avait laissé seul dans son coin, jamais il ne l'avait pris de haut, il l'avait toujours traité d'égal à égal malgré les six années qui les séparaient. Ils étaient complices, et cette complicité n'existait plus, ou du moins elle n'existait plus qu'à distance, ce qui, aux yeux de Danny, revenait au même. Il refusait de lui parler au téléphone. La seule chose qui le raccrochait un tant soit peu était la boxe ainsi que la pratique des arts martiaux, sa nouvelle activité. Ce qui ne l'empêcha pas de glisser dans la délinquance. Il abandonna l'école, se mit à traîner dans des endroits peu recommandables pour un gamin de quinze ans. Il commença à consommer sur une base quotidienne, tomba dans l'alcool, la drogue, les gangs. Ses parents n'arrivèrent pas à lui faire entendre raison.

Sam était venu passer une semaine en permission, il avait tenté de le ramener, de le sortir de là. C'était peine perdue. Danny avait son sale caractère, une foutue tête de cochon comme son grand frère, mais il avait mal tourné. Il menait sa barque comme il l'entendait, comme il l'avait choisi, même si c'était dans la mauvaise direction. Le ramener sur la terre ferme paraissait impossible. Sam l'avait secoué pourtant, il était allé le chercher une nuit dans une piquerie, une cochonnerie de *crack house*, il l'avait sorti de force, il ne rigolait pas, mais Danny, après avoir joué la comédie du repentir pendant deux jours, avait replongé de plus belle. Sam ne pouvait rien y changer. Danny aurait à se débrouiller seul, il restait à espérer qu'il prendrait ses responsabilités au plus vite, qu'il retrouverait le bon chemin. C'était la seule façon de s'en sortir.

Il quitta la maison de son propre chef, traîna en ville, défoncé les trois quarts du temps, dénichant des jobs minables, vendant de la dope pour un « ami ». C'est ce même ami qui lui proposa de l'accompagner pour rencontrer un important *dealer*. Et cet ami ne lui parla pas de l'intention qu'il avait de braquer le *dealer* en question. Il voulait prendre sa place et croyait pouvoir y arriver sans encombre, s'en mettre plein les poches en claquant des doigts. Le truc classique, parfaitement stupide, l'idée de génie d'un demeuré psychopathe. Perdu dans les brumes de la défonce, pété d'aplomb, Danny avait accepté de lui servir de chauffeur. Il se retrouva dans un hangar désaffecté, dans l'est de la ville, à dégriser avec un calibre 12 tronçonné pointé en plein visage tandis que son « ami » se faisait solidement tabasser à coups de pied et de poing par deux colosses qui ne rigolaient pas. Cet idiot s'était vanté à qui voulait l'entendre qu'il allait enfin contrôler le territoire, que ce *dealer* graisseux, lié aux Italiens, serait bientôt une relique du passé. Des paroles venant d'une grande gueule qui s'étaient rapidement propagées pour se rendre aux oreilles des gens concernés. Des gens qui ne la trouvaient pas drôle. Danny avait eu de la chance cette fois-là, une sacrée chance. Puisqu'on le savait en dehors du plan, on l'avait laissé repartir après lui avoir cassé le nez d'un solide coup de poing en plein visage. Il s'était retrouvé au mauvais endroit, au mauvais moment. Il en avait été quitte pour une putain de frousse. Il s'en sortait vivant, alors qu'il était convaincu d' y passer. On lui avait ordonné d'embarquer l'autre merdeux dans la voiture et de foutre le camp, de disparaître. Ils ne voulaient plus le voir traîner dans les parages, plus jamais. Le message était clair. Pour Danny, c'était leçon apprise et retenue.

Il quitta le quartier industriel, abandonna la voiture et son occupant qui gémissait en pissant le sang sur la banquette arrière dans le stationnement désert d'un centre commercial. Qu'il aille se faire foutre. D'une cabine téléphonique, il contacta le 911 pour dire qu'un gars se mourait à l'arrière d'une Mustang, il donna l'emplacement exact et raccrocha. Puis il grimpa dans le premier autobus et rentra chez lui. Chez ses parents. Cette nuit-là, il songea sérieusement à ses perspectives d'avenir. Un calibre 12 pointé en pleine gueule avait l'étrange et puissant pouvoir de vous faire réfléchir à fond, et si vous étiez sensible à ce genre de conneries, peut-être même étiez-vous prêt accepter Dieu dans votre cœur, dans votre vie. Danny ne se rendit pas là, mais il pensa à son frère. Il n'avait aucune intention d'entrer dans les rangs de l'armée, ce n'était pas son truc, seulement il voulait prendre exemple sur Sam. Les deux aimaient les sports de combat. Ils se rejoignaient là-dessus, c'était leur terrain d'entente. Il se remit alors à l'entraînement. Il se lança là-dedans à corps perdu. Il avait dix-neuf ans, rien devant lui, et il fit un sérieux sevrage d'alcool et d'un tas d'autres saletés. À la course ou sur le ring, il sentait toutes les cochonneries qu'il avait consommées exsuder par les pores de sa peau. Ce n'était pas cher payé pour se sentir vivant. C'était même bon, il mettait les bouchées doubles. Il retrouva la forme, remporta quelques tournois amateurs, passa pro, combattit un peu partout au Canada, aux États-Unis et surtout au Japon. Sans atteindre une renommée internationale ni gagner de titres importants, il n'avait pas à rougir de sa carrière dans le monde des arts martiaux mixtes. Aujourd'hui, il avait sa propre académie, il avait Rose, il avait la paix. Il ne demandait rien de plus.

Sam l'observait en douce. Il souriait. Danny scrutait chacun des mouvements de Rose, ses déplacements, il la supervisait, relevait les erreurs qu'elle commettait, suggérait les corrections à apporter. Sam voyait la fierté dans le regard de son frère, cette lueur vive, éclatante, qui brillait.

Il n'avait pas le souvenir d'avoir vu son frère aussi heureux, aussi bien qu'avec elle, cette femme. Elle était toute sa vie. Toute l'existence de Danny gravitait autour d'elle maintenant. C'était Rose, la future championne. Son énergie, Danny la lui consacrait en entier. Il y avait ce combat qui s'en venait et après, après, baby, le monde leur appartiendrait. C'était ce qu'il lui répétait sans cesse. Et Rose était un roc. Elle demeurait concentrée, imperturbable. Une guerrière farouche. Ce qui était impressionnant, puisque, à l'extérieur du ring, en dehors de la cage, personne n'aurait pu s'imaginer la bête qu'elle était, féroce et insoumise, indomptable. En dehors du ring, c'était sa douceur qui surprenait, la profonde tranquillité qui illuminait son visage, son regard. On sentait son humilité, la bienveillance de son âme.

Alexia se tenait aux côtés de Sam, collée à lui. C'était la première fois qu'elle sortait depuis qu'il l'avait recueillie. Elle portait un large *hoodie,* le capuchon relevé sur sa tête, et gardait les verres fumés que Sam lui avait dénichés. Ils s'étaient rendus directement de la maison à l'Académie Shōri. Il voulait qu'elle rencontre son frère et Rose, qu'elle assiste à son entraînement. Il voulait qu'elle sorte, prenne l'air. Elle n'osait pas, mais il avait réussi à la convaincre. Il lui avait parlé de sa « visite » à Frank, ce qui l'avait surprise, secouée même. Sam l'avait rassurée. Il lui avait dit qu'il était là, avec elle, qu'il ne la laisserait pas tomber, sous aucun prétexte. Il lui avait assuré que Frank ne rôdait pas aux alentours, mais que lui, Sam, demeurerait vigilant, qu'il ne baisserait pas la garde. Alexia n'en doutait pas, au contraire. Aussi étrange que cela pût paraître, jamais elle n'avait eu autant confiance en un homme qu'en lui. Mais la peur était toujours là. Elle se sentait impuissante. Cette foutue peur, l'ombre de Frank qui ne la quittait pas, qui voilait, obscurcissait ses pensées. Cette sensation qu'elle éprouvait, celle d'être suivie, observée, épiée dans chacun de ses gestes, même la nuit quand elle dormait. Merde. Elle avait beau essayer de se convaincre de l'absurdité de la chose, elle n'y pouvait rien. Hésitante, elle avait fini par accepter la proposition de Sam. Elle savait qu'elle ne pouvait pas rester terrée comme ça. Elle demeurait craintive. Seule la présence de Sam la rassurait. Aussi ne le quittait-elle pas. Elle s'accrochait à lui, et lui ne la lâchait pas.

Pour le moment, isolée dans une bulle, comme une accalmie dans ses angoisses, elle était captivée par l'entraînement de Rose. Alexia n'était pas une adepte des combats, c'était plutôt le contraire. Elle détestait cela. Elle avait connu assez de violence dans sa vie, elle n'avait pas besoin de celle, glorifiée, qui se donnait en spectacle, elle n'avait jamais pu adhérer à cela. Frank l'avait emmenée à des galas, il la traînait de force – quand elle n'y accompagnait pas des clients –, et elle détestait. Pourtant, de voir Rose en action, comment elle se battait et se défendait, comment elle bougeait dans la cage, gracieuse et féline, animale, toujours prête à réagir, à bondir, à passer à l'attaque, Alexia trouvait cela splendide. Elle admirait sa force et sa souplesse, la fluidité de ses mouvements, la détermination qu'elle lisait sur son visage, le feu qui brûlait dans son regard, le sourire presque imperceptible, gamin, qui glissait sur ses lèvres lorsque Rose plaçait un bon coup.

À la fin de la séance, Rose, ruisselante de sueur mais à peine essoufflée, vint vers eux. Danny l'aida à enlever son casque protecteur et ses gants. Sam fit les présentations.

— Heureuse de te rencontrer, dit Rose, souriante.

— Pareil pour moi, répondit Alexia, un peu sous le choc. Je suis, je suis impressionnée.

Rose sourit de nouveau, baissa les yeux, gênée.

Tandis que les filles faisaient connaissance, Danny emmena Sam à l'écart.

— Pour le combat, il demanda, tu vas être là, oui ?

— Ouais. Écoute, je sais pas si c'est une bonne chose qu'Alexia reste seule toute une soirée.

Danny se gratta la tête.

— Elle pourrait t'accompagner ?

— Non, c'est pas une bonne idée qu'elle se pointe là.

— *Come on,* Sam, tu peux pas nous laisser tomber. J'ai besoin de toi, Rose a besoin de toi.

— Je vous laisse pas tomber, seulement, la situation est délicate, tu comprends ?

— Oui, je comprends. Je comprends très bien. Mais on est une équipe, nous trois. Ce combat-là, c'est pas des blagues, c'est sa chance.

Sam soupira, enfonça les mains dans les poches de son jeans, il fixa le sol devant lui. Machinalement, il traça le signe de l'infini sur le terrazzo, toujours cette habitude. Danny avait raison, ils formaient une équipe et Sam ne pouvait pas les laisser tomber. D'un autre côté, il y avait Alexia. Il lança un regard dans sa direction. Elle discutait, riait avec Rose. Il la trouva belle, rayonnante, un flash explosa devant ses yeux. C'était la première fois qu'il ressentait ce truc, comme un aveuglement. Il secoua la tête, revint vers son frère.

— Je vais voir comment on peut s'arranger, ok ?

Danny acquiesça, posa une main sur l'épaule de Sam.

— Je comprends pour Alexia. Si on peut vous aider pour quoi que ce soit…

Sam hocha la tête, pensif.

— Ça va aller.

Danny baissa la voix :

— Tu vas faire quoi pour le gars qui est après elle ?

Sam regarda Danny. Il était tiraillé à ce sujet. À court terme, rien. Il n'y avait rien à faire. À moyen ou long terme, il n'en avait aucune foutue idée.

— Je sais pas, il dit. Ça va dépendre dans quelle direction souffle le vent.

— Tu crois qu'il est toujours après elle ?

Alexia tourna la tête vers Sam, elle lui sourit, un sourire magnifique.

— J'aimerais dire non. Mais j'ai bien peur que oui.

31

— Elle est sympathique, Rose, dit Alexia alors qu'ils se dirigeaient vers la Jeep. C'est dur de croire qu'une fille comme elle puisse se battre de cette façon.

— Oui, c'est une sacrée fille. C'est une des meilleures choses qui soient arrivées à mon frère, si tu veux mon avis. Il a de la chance d'être tombé sur elle. Et elle sur lui. Elle revient de loin, elle aussi, tu sais. Elle en a bavé un coup.

— Qu'est-ce que tu veux dire ?

Sam grimpa dans le 4X4, et Alexia l'imita, côté passager. Il faisait drôlement chaud à l'intérieur. Il démarra, mit la climatisation à fond, embraya, quitta le stationnement qui cuisait sous le soleil.

— Elle a grandi dans une réserve, dans le Nord. Une enfance plutôt dure, de bons parents, mais beaucoup de problèmes dans sa communauté. Alcool, drogue, abus en tous genres. Je connais pas les détails, rien de joyeux en tout cas. Elle a pas eu trop le choix d'apprendre à se défendre, à se protéger, à se battre pour survivre, pour garder sa dignité, son équilibre.

Alexia ferma les yeux. Elle se mordit les lèvres.

— Pourquoi c'est comme ça? elle demanda. Pourquoi y a toujours ces histoires, ces vies tordues dès la naissance, ces vies qui commencent à genoux, tête baissée?

Sam aurait bien voulu répondre, seulement il ne cherchait plus à comprendre depuis longtemps. La beauté et l'innocence étaient sans cesse broyées, défigurées. C'était terrible, mais c'était dans l'ordre des choses. Cependant, de la boue naissaient des fleurs et le bleu du ciel apparaissait toujours après les orages. Il y avait de l'espoir, il s'agissait de s'y accrocher. Certains s'en tiraient alors que d'autres baissaient les bras. Pourquoi? Peut-être parce qu'ils avaient la force, la volonté nécessaire. Plusieurs traversaient la vie sans accrochage, avec une sorte d'innocence bienheureuse, comme s'ils étaient bénis des dieux. On pouvait croire qu'il n'y avait pas de justice, et s'il y en avait une, de quoi était-elle constituée? Il n'y avait pas de réponse. Sam n'en connaissait aucune, c'était ainsi. Il se répétait souvent cette phrase avant de partir en mission: «Se préparer au pire, espérer le meilleur.» C'était comme ça, il fallait s'accrocher, affronter les tempêtes avec le regard résolu, mâchoires et poings serrés, être paré à toute éventualité. Il fallait croire que la beauté était un phénix qui renaissait inlassablement de ses cendres. Il fallait apprécier chaque lever du jour, chaque instant qui passait. Ne rien tenir pour acquis. Il fallait tendre la main à ceux qui tombaient, qui souffraient, qui perdaient confiance. Il fallait avancer, ne pas s'attarder aux choses du passé, ces choses qui ne pouvaient être changées. Il fallait lâcher prise, d'une certaine manière. Ce n'était pas simple. Mais c'était la seule façon.

— J'en sais rien, Alexia. J'en sais rien.

Ils roulèrent un moment en silence. Puis Alexia ouvrit le système audio. C'était *All The Wild Horses* de Ray LaMontagne qui jouait. Un de ceux que Clara avait ajoutés à ses *playlists*. Sam aimait, il monta le volume d'un cran. La musique, d'une douce mélancolie, emplit l'habitacle. Alors qu'ils quittaient la ville et empruntaient la bretelle menant à l'autoroute, Sam remarqua la larme solitaire qui coulait sur la joue d'Alexia, une seule larme, comme une perle minuscule sur le rose de sa peau. C'était peut-être le vent qui faisait ça, le vent qui entrait par les fenêtres ouvertes, qui fouettait son visage, emmêlait ses cheveux. Sans y penser, parce que c'est ce qui lui vint à l'esprit, parce que ça lui paraissait naturel, il essuya doucement la larme de son pouce, puis il posa sa main sur celle d'Alexia. Elle y enlaça ses doigts.

32

Sam ne trouvait pas le sommeil. Allongé sur son lit, dans l'obscurité, il pensait à Frank. À ce qu'il pourrait faire, aux moyens qu'il pourrait prendre pour le tenir au loin. Le mettre hors circuit.

Alexia avait passé la soirée tendue, nerveuse. Ils étaient revenus du Shōri et cette première sortie l'avait secouée. Elle avait essayé de masquer son état à Sam, son malaise, mais sans succès. Elle s'était mise à trembler, elle avait éclaté en sanglots. Sam l'avait serrée dans ses bras pour la calmer. L'angoisse qu'elle ressentait l'étouffait, elle avait du mal à respirer. Il l'avait longuement tenue contre lui sur le sofa, jusqu'à ce qu'elle retrouve ses esprits, une certaine quiétude.

Était-elle en sécurité ici ? Sam pensait que oui. Mais il croyait Alexia lorsqu'elle disait que Frank était salement accro à elle et que celui-ci ne la lasserait jamais tranquille. Il n'avait aucune raison de douter de sa parole. Ça le travaillait.

Frank. Ce salaud avait envahi l'esprit d'Alexia, il la rongeait maintenant de l'intérieur, bouffait tout l'espace qui lui restait. C'était comme si elle était attachée, reliée à lui par un fil invisible, prisonnière de son emprise. Il en avait fait la femme qu'elle était devenue, celle qu'enfant Alexia souhaitait – physiquement – être. Il avait payé pour ses traitements, ses chirurgies, ses convalescences, ses vêtements griffés, ses voyages, son train de vie de princesse californienne, il lui avait balancé du rêve plein les yeux et elle était tombée dans le panneau, dans le piège qu'il lui avait tendu, elle était tombée amoureuse, de lui peut-être, de Frank, mais surtout de l'image scintillante qu'il lui renvoyait, l'image *glamoureuse* d'une femme fantastique, et ce truc qu'il entretenait en elle en lui laissant croire qu'elle était importante pour lui, un véritable diamant, alors qu'en réalité il ne faisait que la posséder en la dépossédant de sa liberté. D'un côté, il s'y fiançait, de l'autre il la mettait dans le lit d'hommes prêts à payer le double, voire le triple, pour sauter une transgenre belle comme un mannequin de *Vogue*. Cela venait bien sûr avec la promesse que ça ne durerait pas, que c'était une situation temporaire. Un moyen d'amasser un maximum d'argent pour s'installer au chaud plus tard sur une île et mener la grande vie, la *belle* et grande vie. Elle n'allait d'ailleurs pas jouer la prude, elle avait commencé ce jeu bien avant de rencontrer Frank, elle le faisait même pour des miettes, alors que, lui, il lui donnait l'occasion de sortir de la rue, de s'élever. Des conneries, oui. Quand elle s'était mise à exprimer des réserves, quand elle lui avait dit qu'elle voulait cesser ce job, les menaces n'avaient pas tardé. Les gifles, les coups. Les humiliations. Elle avait compris à quel point Frank était dingue. Un soir, il lui avait serré la gorge de sa main et avait soufflé rageusement à son oreille : « C'est moi qui décide, tu comprends ça ? T'es rien ! Sans moi, t'es rien et tu vaux rien. T'es juste une putain de *shemale* ! »

À la suite de quoi il l'avait baisée brutalement, il l'avait violée.

C'est après cet épisode qu'elle avait compris qu'elle devait se tirer si elle voulait survivre.

Ce qu'elle vivait à présent, les images qui déboulaient à l'improviste, qui surgissaient en elle, ces flashs démentiels contre lesquels elle luttait. Syndrome de stress post-traumatique.

Sam ne pouvait rien pour ça, sinon la tenir contre lui, la protéger.

Ce qu'il pouvait contre Frank, en revanche. Ce ne serait rien de s'infiltrer dans son appartement au milieu de la nuit, il était entraîné pour ça. Ce serait à son tour de serrer la gorge de ce pourri. Peut-être même de la lui arracher et de le regarder crever sous ses yeux. Ça ne le dérangerait pas, Sam, il ne broncherait pas d'un poil. Il jonglait avec cette idée. Ce ne serait pas compliqué, Frank ne verrait rien venir. Mais après ? Après, il y aurait un homme mort. Un paquet de problèmes.

Sam réfléchissait à cela. Le tuer était naturellement hors de question. Il pourrait appeler deux ou trois camarades et foutre une vraie chienne à

Frank. Ce truc aurait des chances de fonctionner. Ils lui feraient comprendre qu'Alexia était désormais intouchable et que, si jamais Frank s'en approchait ou s'il lui arrivait quelque chose de mal, ce serait la fin pour lui. Lui casser tous les doigts d'une main un par un serait un bon avertissement.

Alexia serait-elle plus libre après cela ?

Sam sentait une sorte de rage le gagner. Il n'aimait pas cela, cette sensation. Il n'était pas le genre d'homme à perdre le contrôle, à répondre à ses pulsions, à nourrir le mal par le mal. Il avait tué, oui, il en était encore capable, mais c'était la guerre, c'étaient des hommes qui en avaient contre l'humanité, qui commettaient des horreurs quotidiennes au nom d'une idéologie pervertie jusqu'à la moelle, ce n'était pas pareil. Pour Sam, Frank ne valait pas mieux que n'importe quel putain d'insurgé qu'il avait croisé en Afghanistan ou en Irak, mais il ne pouvait pas obéir aux mêmes règles ici, dans la vie civile. Il n'était pas un meurtrier.

Immobile dans son lit, il tentait de faire le vide en lui, de retrouver son calme. Il entendit la porte de chambre de Clara grincer, s'ouvrir. Alexia ne dormait pas, elle non plus. Il entendit le son feutré de ses pas sur le plancher. Puis, dans l'escalier qui menait à la mezzanine, à sa chambre, les marches qui craquaient, bruit cassant du bois dans le silence de la maison.

Il se dressa sur ses coudes. La silhouette d'Alexia se découpa devant lui, sous ses yeux. Elle portait le vieux tee-shirt élimé qui lui arrivait à mi-cuisse. Elle marqua un court temps d'arrêt, puis s'avança jusqu'au lit.

— Je peux dormir avec toi ? elle demanda.

Sa voix était douce, basse, légèrement rauque.

Sam ne dit rien, il se tassa sur le lit, lui fit une place, tira les draps pour qu'elle s'y glisse. Elle vint se lover contre lui et il l'enlaça. Sans un mot. Il ferma les yeux, huma le parfum de ses cheveux.

Alexia pleura en silence contre son épaule.

Ce qu'il ressentit pour elle à cet instant précis, cet attachement, cette attirance, cette affection grandissante qui prenaient racine en lui. En était-il troublé, confus ? Non. Pourquoi donc l'aurait-il été ? Sam n'était pas en paix avec tout ce qu'il avait vécu, avec tout ce qu'il avait accompli dans sa vie, mais s'il savait une chose, il était à présent en paix avec l'homme qu'il était devenu. Peut-être pas le meilleur, sûrement pas le pire. Mais il était un homme, il se tenait droit, debout. Il ne se posa pas de questions inutiles sur les sentiments qu'il éprouvait vis-à-vis d'Alexia, il avait passé l'âge de ces bêtises. Ce qui était *était* et il l'acceptait. Cette femme qu'il serrait dans ses bras. Cette femme, bon Dieu ! Qu'on lui fasse mal une seule autre fois, qu'on touche ne serait-ce qu'à un seul de ses cheveux, et il déchaînerait l'enfer. Il le jurait.

Oh oui.

Il le jurait.

33

Lebron se trouva au bon endroit au bon moment. Aussi simple que cela. Un jour de chance. Il les vit sortir du gym la première fois. Ce gars et la fille qui l'accompagnait. Il n'était pas certain sur le coup. La fille portait le capuchon de son *hoodie* sur la tête ainsi que de larges lunettes de soleil qui bouffaient la moitié de son visage. C'est d'ailleurs ce qui attira d'abord son attention. Ça l'intrigua. Il ne la cherchait pas vraiment, même si Frank lui avait demandé d'ouvrir l'œil pour retrouver une de ses putes qui s'était poussée. D'accord, il le faisait, il *ouvrait* l'œil, mais ce n'était quand même pas en haut de la liste de ses priorités. Il *dealait* des trucs autrement plus importants, comme aujourd'hui, en plein centre-ville de Sherbrooke, où il venait de conclure la livraison d'un convoi de voitures volées. Il allait encaisser un joli montant sur ce coup. Seulement, si la fille lui tombait dessus comme ça, par magie, c'était une autre histoire. Frank avait dit qu'il y aurait une prime substantielle au bout du compte. Et du fric, Lebron ne crachait jamais là-dessus, surtout si c'était gagné aussi facilement. La fille, ça semblait être la bonne. Ouais. Un sacré coup de chance.

Il attendit de les voir grimper dans la Jeep et qu'ils démarrent. Il les suivit à distance sur l'autoroute, jusqu'à ce que le gars prenne la sortie vers le lac, emprunte la route secondaire, puis un chemin de campagne. Là, Lebron n'eut pas le choix, il dut laisser tomber, sinon il aurait été repéré en moins de deux. Il poursuivit sa route avant de faire demi-tour, cinq cents mètres plus loin.

Le lendemain, il retourna flâner autour de l'académie d'arts martiaux. Le gars se présenta en début d'après-midi, sans la fille. Lebron se renseigna sur lui. Il n'apprit pas grand-chose. Il s'appelait Sam. Il sut que c'était un soldat, un vétéran de l'armée – mais rien concernant les Forces spéciales. Il découvrit que Sam était propriétaire du Shōri avec son frère, un ancien de l'UFC. Le Shōri, c'était d'ailleurs la seule adresse postale que Sam possédait. Aucune autre. Cet enculé ne semblait pas avoir de domicile fixe. À croire qu'il vivait dans sa Jeep. Une saloperie de fantôme. Et zéro trace de cette foutue fille.

La jolie pute de Frank.

Quand Sam rentra chez lui en fin de journée, Lebron le suivit de nouveau. Même manège que la veille, mais, cette fois, il se gara sur le bas-côté et attendit une dizaine de minutes avant de parcourir le chemin de terre que Sam venait d'emprunter. Il roula sans se presser – il n'avait pas tellement le choix, vu l'état de la chaussée – en se disant que, s'il était repéré d'une manière ou d'une autre, il dirait qu'il s'était perdu en voulant faire le tour du lac. Ce serait limite comme explication, il serait grillé, mais bon, fallait ce qu'il fallait, et au moins, il serait fixé. Le chemin était cabossé, tortueux. Lebron nota deux ou trois entrées qui semblaient mener vers le lac, vers des chalets. Cependant, il n'osa pas s'y aventurer. Naturellement, la Jeep avait disparu. Il continua encore un kilomètre, plus ou moins, et comme il cherchait à rebrousser chemin, il remarqua une autre entrée. Il s'arrêta à distance, décida de poursuivre à pied en étant le plus discret possible. Un chemin à deux ornières d'environ cent cinquante mètres à travers les arbres. Il aperçut d'abord le toit, puis l'arrière de la maison. La Jeep Rubicon argentée était stationnée à l'ombre d'un grand pin blanc. Il sourit. Merde, voilà. Restait plus qu'à s'assurer que c'était bien la fille de Frank qui était avec ce gars avant de le prévenir.

Il demeura caché un moment, espérant la voir sortir de la maison. Rien ne se passa. Plutôt que de prendre le risque d'être découvert comme un imbécile, il choisit de retourner chez lui et d'être patient.

De tenir le guet aux alentours de l'Académie Shōri.

La confirmation qu'il souhaitait eut lieu deux jours plus tard, lorsque Sam et la fille débarquèrent tous les deux au gym en milieu d'après-midi. Elle avait encore ses larges lunettes de soleil qui lui cachaient le visage, mais pas le *hoodie* cette fois, et ses longs cheveux blonds glissaient sur ses épaules. Elle portait un chandail blanc à manches longues, bien qu'il fasse plus de 30 degrés Celsius à l'ombre, et un short. Ses jambes paraissaient couvertes d'éraflures et d'écorchures. Frank lui avait raconté comment cette idiote s'était sauvée. La conne avait sauté de la voiture qui roulait. Tu parles ! Lebron était satisfait de ce qu'il voyait. La fille était mignonne. Frank lui avait envoyé deux ou trois photos qu'il avait téléchargées sur son portable. Il se demanda si Frank ne lui donnerait pas la chance de tirer un coup rapide lorsqu'ils auraient mis la main sur elle. C'était une putain, après tout. Ce serait chouette. À cette idée, il commença à bander. Il prit son téléphone, alla dans ses contacts, qu'il fit dérouler jusqu'au nom de Frank. Il appuya sur *appel.*

Frank décrocha à la deuxième sonnerie.

— Tu vas être content d'entendre ça, dit Lebron. Je viens de la voir. J'ai retrouvé ta pute, mon ami.

Un silence à l'autre bout. Puis :

— *Fuck me !*

— Elle est là, je te jure. J'attendais d'être certain que ce soit bien elle avant de te contacter. Pas de doute.

Frank ricana.

— J'y crois pas. Elle est seule ?

— Non, elle est avec un gars. Un vétéran de l'armée, à ce qu'il paraît. Je sais pas ce qu'elle fout avec lui, mais c'est chez lui qu'elle habite.

— Et t’as une idée où c’est?

Lebron éclata de rire :

— C’est tout bon, mon frère !

34

C'était dans la nature de Sam d'être aux aguets, d'avoir les sens en éveil. De prêter attention aux moindres détails. Une question d'habitude. De survie.

Lorsque Alexia et lui sortirent de l'Académie Shōri, quelque chose clochait. Il le sentit. Quoi ? Il n'aurait su dire. Quand son instinct lui parlait, il l'écoutait. Un pressentiment. Un truc qui pouvait sembler dingo. Pas pour Sam. Il s'immobilisa avant de traverser le stationnement, observa calmement autour de lui. Surveilla les toits des édifices autour, les rues, les voitures en mouvement, celles qui étaient arrêtées, les passants, les gens assis aux terrasses, ceux qui attendaient l'autobus. Le petit garçon avec sa maman qui le dévisageait en passant. Le vieillard appuyé sur sa canne qui paraissait regarder dans le vide, la bouche entrouverte. L'homme qui fumait une cigarette en textant sur son téléphone. Le gars dans sa voiture. Une Toyota Matrix. Bleu métallisé. Stationnée juste en face. Sam ne pouvait lire la plaque d'immatriculation. Il y avait un autocollant sur la vitre arrière côté conducteur. Une tête de mort façon drapeau de pirate. Le gars à l'intérieur. Son gros bras tatoué qui pendait par la portière. Des bagues aux doigts, de la quincaillerie *cheap* de rockstar heavy metal. Il fixait droit devant. Immobile. Immobile, en sueur. Toute l'attention de Sam se concentra sur lui. Sur ce gars-là. Un visage bouffi, poupin. Le crâne rasé. Une désinvolture dans son attitude qui semblait forcée. Ce gars-là. Ce gars ne cadrait pas dans cette voiture. Il ne cadrait pas dans le paysage.

Ce gars.

Ce gars. Là.

Lui.

Qu'est-ce qu'il avait, lui ?

Rien. C'était juste une impression. Étrange. Sam enregistra sa présence. Un automatisme. Il photographia la scène, un instantané. L'image de ce gars, de cet homme, s'imprima dans son esprit, parfaitement claire.

S'il le revoyait, il saurait d'où ça venait.

Alexia était rendue à la Jeep. Elle se retourna.

— Sam ? Ça va ? Qu'est-ce qu'y a ?

— C'est ok, il dit en se remettant en marche vers elle. C'est ok.

Il lui sourit.

Ils avaient des courses à faire. Alexia devait passer à la pharmacie, chercher un paquet de trucs, des crèmes qui lui manquaient, des produits de beauté, des ordonnances. Elle dut ouvrir un dossier, inscrivit l'Académie Shōri comme adresse principale. Sam ne voulait pas qu'ils s'attardent trop. Alors qu'elle payait ses achats, il surveillait. Il n'aimait pas ce qu'il ressentait. C'était comme une crise de paranoïa. Il gardait toujours Alexia dans son champ de vision, examinait attentivement les gens qui allaient et venaient autour d'eux.

Pour la première fois, Alexia semblait détendue, relax. Depuis l'autre nuit, quand elle était venue le rejoindre dans son lit, depuis qu'elle dormait dans ses bras et que Sam lui avait assuré qu'il n'allait pas la laisser tomber, la tension en elle s'était atténuée, l'angoisse et la peur aussi. Ils n'avaient pas fait l'amour. Ils dormaient enlacés, Sam la serrant contre lui. Lui-même ne s'était pas senti aussi bien depuis longtemps, trop longtemps. C'était comme si une paix profonde leur était tombée dessus.

À présent, c'était au tour de Sam d'être nerveux. Sans raison apparente. Simplement, cette mauvaise impression qui l'habitait le poursuivait depuis qu'ils avaient quitté le stationnement du Shōri. Un truc débile, mais qui lui avait déjà sauvé la vie à quelques reprises en Afghanistan. Choisir un passage plutôt qu'un autre à la dernière minute pour ensuite réaliser que le passage initial était truffé de bombes improvisées. Se préparer à donner l'assaut à un bâtiment par l'entrée principale, se raviser au dernier moment et prendre une voie différente, par les flancs ou par les toits, et découvrir que l'on aurait été haché menu par une douzaine d'insurgés solidement armés, placés en embuscade derrière la porte avant. Il y en avait eu d'autres. De la chance, on pourrait penser. Peut-être. Mais chaque fois, il y avait eu cette petite lumière rouge allumée dans l'esprit de Sam. Ça s'expliquait mal, ça ne se discutait pas. C'était ainsi. Ça relevait d'un détail anodin, quasi insignifiant, mais c'était ce détail qui souvent faisait la différence entre la vie et la mort.

— T'es bizarre, dit Alexia lorsqu'ils furent sortis de la pharmacie et de retour près de la Jeep. T'as l'air préoccupé.

— Non, mentit Sam en rangeant les sacs dans le coffre arrière, ça va. J'ai juste hâte de rentrer à la maison, j'aime pas trop qu'on traîne en ville.

Tout au long du trajet, il demeura silencieux. Il ne cessait de surveiller les voitures sur l'autoroute, s'assura qu'il n'était pas suivi, il fit même un détour pour brouiller les cartes, prétextant avoir été distrait. C'était plus fort que lui.

Ce gars dans la Toyota. Il n'arrivait pas à se l'enlever de la tête.

35

Dans la nuit, Alexia appréciait le silence. Tous les tourments des derniers jours, des dernières semaines, des dernières années, même, paraissaient s'être atténués. Le vent plus frais qui soufflait depuis le lac jusque dans les arbres entrait par la fenêtre de la chambre de Sam. Le bruit des vagues qu'elle entendait parfois, vagues fantômes qui semblaient venir s'échouer en bas sur la plage, la calmait.

Sam la tenait contre lui, collé dans son dos. Son bras droit l'enlaçait. Elle savait qu'il ne dormait pas. Comme elle.

Elle l'avait trouvé étrange durant la soirée, distant, pensif, renfermé. Et pourtant toujours attentionné à son égard.

Au souper, il lui avait annoncé qu'il n'irait pas au combat de Rose. Qu'il ne les accompagnerait pas à Montréal, le surlendemain. Il ne voulait pas la laisser seule, il n'aimait pas ça, il préférait rester avec elle. Mais Danny et Rose, eux, s'attendaient à ce qu'il y soit, à ce qu'il les accompagne, et Alexia avait insisté pour qu'il le fasse, qu'il tienne parole.

Elle lui avait dit qu'il n'avait pas à s'inquiéter, qu'elle saurait gérer ces quelques heures en solitaire, qu'elle se sentait mieux maintenant, beaucoup mieux.

Ce qui était vrai.

Elle ne se rappelait pas avoir été aussi apaisée.

Et Sam, Sam en était la cause.

Elle se retourna vers lui. Il ouvrit les yeux. Ils se regardèrent sans un mot. Sam porta sa main au visage d'Alexia, replaça une mèche de cheveux derrière son oreille. Elle lui sourit. Du bout des doigts, il lui caressa la joue, descendit vers son cou, son épaule. Alexia frissonna. Sa respiration se raccourcit. Était-ce une bêtise qu'elle faisait en approchant ses lèvres des siennes ? Non, puisque Sam s'avança à son tour. Il l'embrassa. Le contact de leurs lèvres, de leurs langues était doux, frais. Le baiser, d'abord timide, s'empressa. Les mains de Sam coururent sur le corps d'Alexia jusqu'à ses fesses. Elle sentit son sexe dur contre son ventre. Elle l'empoigna, le caressa, effleura ses couilles. Elle glissa ses lèvres sur le torse de Sam, descendit jusqu'à sa queue, la lécha, l'embrassa, commença à la sucer. Sam gémit. Il s'abandonna un court instant, puis il prit son visage entre ses mains et la ramena vers lui pour embrasser chaque centimètre de son visage.

— Je te veux avec moi, Alexia, il murmura à son oreille.

Quand il la pénétra, elle laissa échapper un long gémissement. Sam s'enfonça en elle et elle s'agrippa à lui, planta ses ongles dans sa peau, quasi jusqu'au sang. Pas un seul instant ils ne se quittèrent du regard. Pendant qu'ils faisaient l'amour, leurs fronts et leurs yeux restèrent en contact, soudés, oubliant complètement le monde autour d'eux, l'effaçant presque, à bout de souffle, jusqu'à atteindre l'orgasme.

36

Le Centre Bell. La foule. Le délire. L'ambiance électrique, survoltée. Le gala UFC et tout le cirque qui l'accompagnait.

Dans le vestiaire, Sam était nerveux. Pas à cause de Rose. Pas à cause du combat. C'était Alexia. Il regrettait de l'avoir quittée, qu'elle soit seule à la maison. Cette impression qui le tenaillait encore. Tout semblait bien quand il était parti. Elle lui avait dit de ne pas s'inquiéter. Mais. Il y avait un foutu « mais » qui le travaillait, qui lui laissait un mauvais goût dans la bouche, un goût dont il n'arrivait pas à se débarrasser. Il n'avait pas l'habitude de ce genre de conneries.

Rose s'échauffait. Elle était dans sa bulle, isolée dans sa zone. Danny lui parlait avec douceur, assurance. Parfois, elle souriait, sinon son visage demeurait impassible. Son regard, de glace. Sam les observait. En dépit de sa nervosité et de son esprit qui s'égarait, il avait confiance. Il l'avait vue bosser comme une folle, s'entraîner à fond, il avait mis les gants et était monté sur le ring avec elle, il savait ce qu'elle valait, ce qu'elle avait dans le corps.

Son adversaire, la Brésilienne, était une combattante féroce, une ancienne championne qui tentait de revenir au top, une battante avec une force de frappe comme un coup de tonnerre. Rose n'aurait aucun passe-droit ce soir. Sa victoire, elle devrait aller la chercher en puisant au plus profond d'elle-même. Mais Sam ne doutait pas qu'elle serait à la hauteur. Seulement, il avait hâte que ce soit terminé. Bon Dieu. Il avait hâte de pouvoir reprendre la route et de rentrer, de retrouver Alexia. S'il s'était écouté, il aurait déjà filé en douce.

Heureusement, le combat était tôt en début de soirée. Les deux premiers affrontements se succédèrent sur l'écran plat d'une télévision en circuit fermé, mais il n'y prêta pas attention. Il essaya de se concentrer sur Rose. Il ferma les yeux un instant, inspira lentement, en profondeur, retint son souffle quatre secondes, expira. Il répéta la séquence plusieurs fois. Son rythme cardiaque diminua. Il se sentit mieux. *Un peu* mieux.

L'heure était arrivée. Il était maintenant temps d'y aller. Sam se plaça derrière Danny avec Mike, le *cutman*. Rose les précédait. Un caméraman se planta devant eux et recula alors qu'ils entreprenaient la longue marche jusqu'au centre de l'amphithéâtre sous la version de Motörhead de *Sympathy for the Devil* des Stones. Lorsqu'elle apparut sur les écrans géants du Centre Bell, la foule explosa. Elle avait beau ne pas faire partie de la grande finale, d'être en sous-carte, elle était de loin la favorite du public montréalais.

Selon les preneurs aux livres de Las Vegas, elle était donnée perdante à cinq contre un.

Quand Rose entra dans la cage, la Brésilienne entama sa marche vers l'octogone.

Le combat pouvait avoir lieu.

Enfin, pensa Sam.

37

Deux minutes cinquante-trois secondes. À la surprise générale, c'est le temps que mit Rose avant d'assommer solidement la Brésilienne et de l'envoyer K.-O. d'un coup puissant à la mâchoire. BOUM. Deux minutes cinquante-trois. Personne ne s'attendait à ça. Surtout pas de la part de Rose, ni de façon aussi spectaculaire.

Danny n'en revenait pas. Il sauta dans les bras de Sam, puis dans ceux de Mike, des larmes de joie aux yeux. Le travail qu'ils avaient accompli, bordel ! Et voilà qu'elle venait de prendre tout le monde par surprise, de tous les mettre sur le cul ! Il grimpa en vitesse pour la rejoindre dans la cage, la serra dans ses bras, la souleva de terre, l'embrassa comme si elle était un ange tombé du ciel. Un ange exterminateur, oui.

Dans les minutes qui suivirent, ce fut le chaos complet et Sam fut entraîné dans un tourbillon qu'il détestait. Caméras de télévision, journalistes, photographes, gardiens de sécurité, *fans* hystériques. Il se sentit prisonnier, sans contrôle de la situation, ce qu'il redoutait. Son instinct le portait à repérer les sorties de secours les plus proches, les plus accessibles, et il échafauda mentalement un plan d'évacuation si les choses venaient à mal tourner. Il avait été entraîné à intervenir d'urgence dans des stades, des centres commerciaux, des aéroports, tous ces endroits susceptibles d'être la cible d'attentat. Il savait ce qui se pouvait s'y produire, il connaissait tous les scénarios possibles et imaginables. Ce n'était rien de rassurant. Seul, isolé dans la confusion et le brouhaha qui les portaient, lui, Rose et les autres, de l'octogone au vestiaire, il lutta comme il le put contre un sentiment d'impuissance, de fatalité qui montait en lui. Il n'avait encore jamais connu ça, jamais rien de pareil, en tout cas, jamais à ce point. Il se demandait ce qui lui arrivait.

Il pensa à Clara. Il pensa à Alexia.

Alexia.

La lumière rouge, soudain, s'alluma dans son esprit.

Dans le vestiaire, il se faufila dans la salle de bain et prit son téléphone. Il appela à la maison, laissa sonner une dizaine de coups. Pas de réponse. Il regarda l'heure. 21 h 16. Il essaya une seconde fois. Toujours rien. Sa vision se brouilla.

Ses muscles se crispèrent.

Il prit appui des deux mains sur le mur de ciment. Il inspira.

Expira.

Inspira.

Expira.

Sa vision s'éclaircit, devint brillante, se concentra en un point devant lui, une saleté incrustée dans le mur.

Il devait y aller. Maintenant.

38

Lebron alluma une cigarette. La pute avait cessé de crier, à présent. Et Frank, de lui gueuler dessus. Il se demanda en rigolant si Frank n'était pas déjà en train de la sauter pour la peine.

La pute. La face qu'elle avait faite quand ils avaient défoncé la porte, quand elle les avait vus débarquer. Juste ça, ça valait le coup. Elle avait essayé de se sauver, mais Frank lui était tombé sur le dos en moins de deux, il l'avait attrapée par les cheveux et lui en avait foutu une bonne. Ça lui avait remis les idées en place. Elle s'était effondrée sur le plancher, elle avait compris que, cette fois, elle ne s'en sortirait pas. Elle avait compris qu'elle avait intérêt à se tenir tranquille. Si elle ne voulait pas trop souffrir. N'empêche, elle en baverait quand même. Lebron ricana.

Quand Frank lui avait dit que cette jolie cocotte était un mec avant, il avait eu du mal à le croire, il pensait qu'il se faisait charrier. Mais non, cette connerie était vraie de vrai. C'était du grand art, il fallait le reconnaître. Un sacré beau morceau de cul, il l'avouait. Pour un mec. Enfin, un ancien mec. Une putain de *tranny*. C'était à peine croyable. Elle avait une chatte à présent, tout le truc, lui avait dit Frank. Des fesses d'enfer, un visage de star de cinéma. Merde, il bandait rien qu'en la regardant et il lui avait craché dessus à cette salope. Frank avait éclaté de rire et lui avait dit qu'il pourrait s'amuser avec elle un peu plus tard, mais que pour le moment il devait aller surveiller dehors, vérifier que l'autre enculé ne débarquait pas.

Surveiller. L'enculé, comme disait Frank, était au gala UFC à Montréal, il n'était pas près de rentrer. Et ils étaient dans un coin paumé, coupé du monde. Il n'y avait pas un foutu chat dans le coin. Ils pourraient violer la fille – enfin, la fille, c'était bien ça qu'on disait, oui ou non ? – à répétition jusqu'au matin, la baiser à mort, personne ne l'entendrait hurler. Surveiller quoi ? Y avait rien à surveiller.

Lebron se tenait dans l'obscurité, près du garage, seul le bout rougeoyant de sa cigarette illuminait son visage quand il tirait une bouffée. Il gardait un œil sur le chemin en bâillant. Ils avaient laissé le VUS de Frank, la Porsche, plus bas sur la route. Ils voulaient surprendre la petite. Pour ça, ils avaient réussi, ah oui. Lebron gloussa. Il replaça sa queue et ses couilles dans son pantalon.

Le militaire. Le gars qui habitait ici. Frank voulait se charger de lui aussi. Quand il allait revenir, le sort de la fille serait réglé. Ils s'occuperaient de lui ensuite. Ce n'était pas un problème. Frank y tenait, il voulait lui faire sa fête, à cet imbécile. Lebron, ça le faisait un peu chier. Il se serait contenté de la fille. Mais c'était Frank qui décidait. C'était lui qui payait. Dans la voiture, il lui avait refilé une enveloppe avec un beau paquet de fric. Alors Lebron ferma les yeux, ne posa pas de questions, il se gratta le nez, prêt à exécuter les ordres.

Il était en poste, à fumer sa clope, imaginant de quelle façon il allait prendre son pied avec la pute, après.

Il balança le mégot par terre, l'écrasa du talon sur le gravier. Le bruit que ça faisait, CRUSH, CRUSH. Il s'amusa dans le silence. CRUSH, CRUSH. Il releva la tête en rigolant et c'est à peine s'il réalisa la main qui se posait fermement sur sa bouche et l'autre sur son crâne. Le brusque mouvement de rotation qui s'ensuivit. Lebron écarquilla les yeux. Ses vertèbres cervicales cassèrent sec. Le bruit que ça fit, CRAC ! C'était moins amusant quand il l'entendit. Ce fut tout. Sa lumière s'éteignit. Il n'eut à peu près pas le temps d'en avoir conscience.

39

Alexia tenta par tous les moyens de rester calme. Intérieurement, elle s'effritait. Quand elle les avait vus entrer, elle avait cru qu'elle hallucinait, que ce n'était qu'un autre de ces maudits cauchemars, quand Frank s'approchait de son lit. Non. Cette fois, c'était bien réel. Trop réel. Frank s'était jeté sur elle avec un regard, un sourire de prédateur. Au même moment, le téléphone avait sonné.

Sam.

Sam…

Effondrée dans un coin de la cuisine, elle refusait cependant de pleurer. Qu'il aille se faire foutre, Frank, elle ne lui donnerait pas ce plaisir. Il pourrait prendre d'elle tout ce qu'il voulait, mais il n'aurait pas ça. Il n'aurait plus ça. Il n'aurait plus ses larmes. Ni son âme. Il s'était accroupi devant elle, il lui avait mis le canon de son arme dans la bouche, pour la forcer à le sucer. Elle le fixait de ses grands yeux d'un bleu glacé.

Il l'avait frappée, il l'avait rossée en lui gueulant après, en la traitant de tous les noms. Elle avait crié, hurlé, elle avait cherché à se défendre. L'autre colosse était sorti après lui avoir craché dessus, Frank lui avait dit qu'il aurait sa chance avec elle, plus tard. Elle avait perdu la notion du temps.

Elle avait envie de vomir. Elle tenait le coup. Il le fallait.

— Je vais faire quoi de toi ? demanda Frank d'une voix faussement rassurante. Tu sais, je t'ai jamais voulu de mal, ma chérie. Je fais quoi, maintenant, hein ?

Comme pour répondre à sa propre question, il rit, sourit, retira l'arme de la bouche d'Alexia, passa une main dans ses cheveux, caressa son visage avant de la frapper de nouveau.

— Pourquoi tu t'es sauvée comme ça ? il dit.

Il frotta le canon du Beretta 9 mm sur son visage, sur ses joues, sur ses lèvres.

— Tu vas sucer la grosse bite de Lebron tout à l'heure. Et je vais me gâter, moi aussi, je te promets. Tu vois, je vais me payer un bon petit morceau de toi, comme au bon vieux temps, tu te rappelles ? T'aimais ça, non ? Après, après je sais pas. Tu vaux plus rien pour moi, alors... Possible que je te laisse à Lebron pour qu'il en profite un peu avant d'en finir une bonne fois pour toutes. Ou alors je vais t'abattre, tout simplement, comme une chienne. La chienne que t'es. Ça, ça me ferait plaisir !

Il renifla un coup avant de continuer :

— Mais avant, on va devoir attendre ton copain. C'est ton copain, non ? L'enculé. Le soldat. Rambo. Il te l'a mise ? Il est pédé ?

Alexia ferma les yeux. Frank lui donna un coup de canon sur le côté de la tête.

— Regarde-moi ! il hurla.

Alexia se força à ouvrir les yeux. Elle avait envie de lui cracher dessus à son tour. Elle n'avait plus rien à perdre, de toute façon. Elle ne se gêna pas, elle lui envoya une giclée de salive et de sang en plein visage.

Frank lui tomba dessus de nouveau. Il la frappa avec violence, puis il plaça le canon du 9 mm contre sa tempe, l'arma.

— Je me retiens, je te jure que je me retiens ! Mais c'est ce que tu voudrais, pas vrai ? Que ça se termine au plus vite ! Compte pas là-dessus, ma chérie. Mais si tu me refais ça, je te casse toutes les dents, t'entends ?

Un craquement. Du bruit provenant de l'entrée. Des pas. Frank attrapa Alexia par les cheveux, l'arme toujours pointée sur sa tête.

— Lebron ? il demanda. Qu'est-ce que tu fous ?

40

Sam avait roulé à fond de train. Si les flics l'avaient collé, ils les auraient traînés jusqu'ici. Il n'en avait rien à foutre.

Quand il vit l'arrière de la Porsche Cayenne, plus bas sur la route, il éteignit ses phares, se rangea derrière en coupant le moteur.

Il ne perdit pas de temps à évaluer la situation, il comprenait ce qui se passait. Il contourna le chemin pour se rendre à la maison, aperçut la silhouette près du garage, un homme qui fumait une cigarette. Il s'approcha et, lorsqu'il fut assez près, plus près que Lebron ne le saurait jamais, Sam reconnut le gros lard dans la Toyota Matrix. Immédiatement, il s'en voulut. Il avait commis une erreur en laissant Alexia seule. Une maudite, impardonnable erreur. Mais il était trop tard. Il fallait maintenant mettre ça de côté, passer à une autre vitesse.

41

« Speak the name, tell me who to kill. »
MOTÖRHEAD

— Lebron ! Qu'est-ce que tu fous, bordel ?

Sam apparut dans le cadre de porte, la porte défoncée qui tenait à peine sur ses gonds. En l'apercevant, Alexia ne put s'empêcher cette fois d'éclater en sanglots. Elle aurait préféré qu'il ne la voie pas comme ça, qu'il n'assiste pas à ça, à cette scène. Elle s'en voulait pour ce qui arrivait. Tout ça était sa faute. Elle aurait voulu lui dire de s'en aller, de la laisser seule avec sa chienne de vie pour qu'elle crève enfin. Du même coup, elle était soulagée de le voir et, de son regard effrayé, elle l'implorait de la sortir de là, elle lui demandait mille fois pardon pour cette merde.

Mais Sam ne la regarda pas. Il ne quitta pas Frank des yeux. Frank qui, après avoir accusé et digéré la surprise, sourit à pleines dents comme un homme qui viendrait de remporter le gros lot au casino.

— Salut, mec ! il lança en dirigeant maintenant l'arme sur Sam.

Sam resta là sans bouger.

— Montre tes mains et avance, ordonna Frank.

Sam s'exécuta. Il leva les mains, avança lentement vers le centre de la pièce, les yeux toujours rivés sur l'enfoiré qui avait investi sa maison, qui avait osé toucher à Alexia.

— Où est Lebron ? demanda Frank.

Sam regardait Frank. Il prit un temps, laissa planer un long silence. Il souriait presque.

— Où il est ? insista Frank.

— Il dort, répondit Sam d'une voix neutre.

Une ombre passa dans le regard de Frank. Une frayeur. Il se sentit mal tout à coup. Il comprenait ce que ça signifiait, même s'il ne voulait pas y croire. Il indiqua à Sam de s'asseoir à la table.

— Je veux voir tes mains, mets-les à plat sur le dessus. Tu fais un faux mouvement, et c'est elle que je tire en premier, tu comprends ?

Sam hocha la tête, il obéit aux ordres de Frank sans broncher.

L'ampoule du plafonnier, que Frank alluma, diffusa une lumière crue, dégueulasse, qui bavait sur les murs et les armoires. Du coin de l'œil, Sam regarda pour la première fois en direction d'Alexia. Elle était effondrée sur le plancher, aux pieds de Frank, agenouillée, son tee-shirt déchiré, ses lèvres et le côté droit de son visage, enflés, tuméfiés. Du sang et de la bave coulaient de sa bouche jusque sur le carrelage. Il inspira profondément, reporta son attention sur Frank.

— C'est pas croyable, lança celui-ci en rigolant. Je croyais devoir t'attendre jusqu'au matin. Je croyais même pouvoir m'amuser un peu avec ma chérie, histoire de me rappeler le bon vieux temps. Tu vois ce que je veux dire ?

Sam ne répondit rien. Un vent glacial soufflait en lui. Intérieurement, il réduisait cette ordure en pièces, morceau par morceau. Toute son attention était concentrée sur Frank, sur ses mouvements, ses moindres gestes, son bras tendu, le Beretta dans sa main, pointé dans sa direction. Il attendait l'erreur, la faille. Il remarqua que Frank ne tremblait pas. Il tenait l'arme de manière assurée, l'index posé sur le pontet et non pas sur la détente. Il avait l'habitude. Il n'était pas nerveux avec une arme à feu dans la main. Il était excité, mais pas nerveux. Il savourait sa victoire sur eux. Sam calculait les risques. Pour le moment, Frank se gaussait de la situation défavorable dans laquelle Alexia et lui se trouvaient. C'était Frank qui dominait et ça lui plaisait. Il tenait le haut du pavé, il avait l'avantage. Sam le lui concédait. Il jouait le jeu. La situation était critique, non désespérée. Mais Sam avait délibérément choisi d'affronter Frank de face. Il avait lui-même décidé de se placer dans cette situation. Et ça, Frank n'en savait rien. À présent, Sam était attentif aux moindres détails, aux moindres variations dans la façon d'être de Frank. Il savait que celui-ci finirait par commettre une erreur, aussi insignifiante pourrait-elle paraître. Une inattention. Et quand il prendrait le dessus, il voulait pouvoir regarder Frank dans les yeux, il voulait que ce dernier comprenne que sa fin était venue.

— Vous êtes mignons, tous les deux, fit Frank en promenant son regard de Sam à Alexia et d'Alexia à Sam. Dis-moi, Rambo, tu l'as sautée ?

— Qu'est-ce que tu veux ? demanda Sam.

Frank ricana :

— C'est elle que je veux. Cette fille, c'est ma pute. Et tu me l'as prise. On touche pas à ce qui m'appartient sans ma permission.

— Y a rien qui t'appartient ici, dit Sam.

— Ah non ? grogna Frank en attrapant Alexia par les cheveux. Et elle ? Elle est à qui, tu penses ?

Sam secoua imperceptiblement la tête :

— À personne. Elle appartient à personne.

Frank éclata de rire. Il se pencha à l'oreille d'Alexia sans quitter Sam des yeux, le pistolet toujours pointé dans sa direction.

— T'entends ça, ma belle ? Tu m'appartiens pas ! Je t'ai sortie de la rue, j'ai investi des milliers de dollars sur ta gueule et ton cul, j'ai fait de toi une putain de princesse et tu m'appartiens pas ? Je crois que j'entends mal. Ou alors c'est le monsieur, là, qui a pas compris comment ça fonctionnait.

Il lâcha Alexia, la repoussa du pied, puis il se dirigea vers Sam. Sans prévenir, il le frappa du revers de la main avec le pistolet, lui fendant l'arête du nez. Le sang se mit à pisser.

— Cette fille-là, c'est ma propriété, ok ? Personne t'a autorisé à la toucher ! Personne ! Tu comprends ça ? Tu comprends ?

Il posa le canon du Beretta sur la tempe de Sam, poussa dessus comme s'il voulait le lui enfoncer dans le crâne. Sam garda les yeux ouverts, serra les mâchoires. Le sang coulait de son nez à sa bouche. Frank serait aussi bien de le tuer là, maintenant. Ce serait la meilleure chose à faire.

Il cracha par terre, un jet de sang.

— Vas-y, dit Sam d'une voix calme. Tire, si c'est ce que tu veux.

À nouveau, Frank le frappa au visage, puis recula.

— T'aimerais trop ça, fit Frank. Oh ! T'inquiète pas, je vais te tuer. Je vais y aller sans me presser. Mais avant, tu vas devoir me regarder m'amuser avec ma douce Alexia.

Sam renifla un coup, du sang coula dans sa gorge. Le goût du sang. Le goût cuivré. Et l'odeur de la mort qui planait.

— Sérieusement, t'as fait quoi de Lebron ? demanda Frank.

— Je lui ai cassé le cou.

— Tu mens.

— Non.

L'ombre sur le visage de Frank. Une autre frayeur. Il avait l'habitude de foutre la trouille aux gens, ce n'était pas la première fois. Il en avait maté plus d'un et il en avait refroidi aussi. Mais ce gars-là, c'était autre chose. Frank était déstabilisé. Pas d'inquiétude, toutefois, il finirait par le casser, c'était juste une question de temps.

— Tu te crois malin, hein ? fit Frank en retournant auprès d'Alexia. J'ai des nouvelles pour toi. Tu vas pas tellement apprécier ce qui s'en vient.

Sam ne broncha pas. Le dernier coup porté à son visage l'élançait, mais il ne ressentait pas de douleur. Ses mains étaient toujours appuyées à plat sur la table, il se retenait pour ne pas fermer les poings. Frank ne le quittait pas des yeux. Il brandissait le pistolet en direction d'Alexia, en plein sur son visage.

— C'est elle qui va y passer en premier, dit Frank. Tu vois, je veux que tu sois aux premières loges. Dommage pour Lebron. J'aurais aimé que tu le voies s'amuser avec elle avant qu'elle crève. Mais te fais pas de bile, je vais trouver autre chose. Et tu vas payer pour ça.

Alexia laissa échapper un sanglot. Sam baissa les yeux vers elle. Elle fixait le plancher, le regard perdu, désespéré, ses cheveux emmêlés pendaient de chaque côté de son visage.

— Alexia, il dit, regarde-moi.

— Ta gueule ! cria Frank.

— Alexia. Regarde-moi.

— Ta gueule !

— Alexia…

Elle releva la tête, regarda Sam.

— Ça va aller, il lui dit. Ça va aller. Ok ? T'en fais pas.

Elle hocha la tête, tenta même une esquisse de sourire.

Le coup partit. La détonation résonna dans la maison, explosa dans les tympans d'Alexia, déchira le silence et la nuit. La balle passa à une trentaine de centimètres du visage de Sam, il entendit le

ZIP !, le sifflement à son oreille. Elle se logea dans le mur, derrière lui, près de la porte d'entrée.

Alexia hurla.

Frank retourna l'arme contre elle, la plaqua sur son front.

— Tu refais ça, il dit à Sam, et je lui éclate la cervelle ! T'as compris ?

Ce n'était pas la première fois que Sam se faisait tirer dessus, il réagit à peine. Ses sens étaient toutefois en alerte maximale, dans un état d'hypervigilance, tout autour de lui était d'une clarté absolue. Rien ne lui échappait à présent. Il ne quittait pas Frank des yeux. Alexia demeurait aussi dans son champ de vision. Il pouvait passer de l'un à l'autre en effectuant une simple mise au point. Il attendait l'erreur de Frank. La seule erreur qu'il commettrait. Un quart de seconde d'inattention suffirait. Pour l'instant, il était en total contrôle. Le Beretta était pointé soit sur Alexia, soit sur lui. Sam se foutait bien de mourir. Il avait déjà failli une centaine de fois. La situation n'était pas fameuse, mais il avait connu pire. Ça ne le dérangeait pas de prendre une balle ni d'en crever. Il avait longtemps pensé que ça finirait comme ça, de toute manière. Une mort sur le champ de bataille. Serait-elle au moins honorable ? Dieu seul jugerait. Cependant, il était hors de question de laisser tomber Alexia, hors de question qu'elle y passe, elle aussi. S'il devait mourir, il ferait tout en son pouvoir pour emmener Frank en enfer avec lui.

Le silence était lourd. Le moindre son, le moindre bruit ressortait, amplifié. La respiration hachurée d'Alexia. Les craquements de la maison. Une branche d'arbre qui frottait contre le mur du garage, à l'extérieur.

— Tu crois vraiment que ça va aller? demanda Frank en rigolant.

Encore une fois, Sam ne répondit pas. Il se contenta de le regarder.

Frank plissa les yeux. Une image venait de surgir dans sa mémoire.

— On s'est déjà vus quelque part, toi et moi, non?

Cette fois, Sam sourit.

— *Belle journée, pas vrai?* il souffla, reprenant la phrase que Frank lui avait dite dans les toilettes du restaurant.

Frank parut perplexe un instant. Puis il se souvint.

— C'était toi… Tu m'as suivi…

Il rit en secouant la tête:

— T'as des couilles, Rambo. T'as des couilles.

Du sang coulait de la coupure sur le nez de Sam. C'était désagréable. Il aurait voulu l'essuyer, l'éponger, mais il n'en fit rien. Il endurait. Il regardait Frank. Le dévisageait. Avec ne serait-ce qu'un gramme de jugeote, Frank aurait compris qu'il valait mieux l'abattre maintenant avant qu'il soit trop tard. Il aurait compris qu'étirer le plaisir ne ferait que causer sa propre perte. Seulement, Frank jouissait de sa position actuelle. Il était fier du jeu qu'il menait, il en tirait une intense satisfaction personnelle.

— Tu sais quoi ? il fit à l'intention de Sam. J'ai vraiment cru que cette salope était morte dans la forêt. Enfin, je voyais pas comment une princesse comme elle pouvait survivre à ça. Madame vivait dans le luxe, mangeait dans les meilleurs restaurants, baisait dans les grands hôtels. Elle sortait jamais sans ses vêtements griffés et son putain de sac Louis Vuitton. Qui l'aurait cru ? Elle m'a eu, franchement, elle m'a bien eu. Je croyais pas qu'elle aurait l'audace de faire un truc pareil. Je dois dire qu'elle aussi a des couilles. Ou plutôt qu'elle en avait, enfin, ouais. Je l'ai connue comme ça, avant. Quand elle avait une queue, comme toi et moi. Et des couilles. Je sais pas ce qu'ils en ont foutu sur la table d'opération. Peut-être qu'ils les lui ont enfoncées dans le creux de la chatte ? Hein ? Qu'est-ce que t'en penses ? Tu les as senties, en la baisant ? Moi, jamais, mais remarque, je la mettais pas trop dans sa chatte, j'ai toujours préféré l'enculer. Tu sais pourquoi ? Parce que c'est un mec. Ouais. Malgré les apparences et toutes ses saletés de chirurgies, ça reste un mec. Et les mecs, on les encule. Pas vrai, *Alexis* ?

Alexia leva la tête vers lui. Elle ne sanglotait plus, elle semblait s'être calmée. Peut-être que les mots de Sam avaient réussi à la réconforter, à lui donner un peu d'espoir.

Elle cracha aux pieds de Frank.

Il rit.

— Regarde-moi ça, la tigresse ! Elle est mignonne, non ? Avant que t'arrives, elle m'a craché au visage. Elle aurait jamais osé, avant. Elle a plus de caractère que j'aurais cru. Tu lui as donné quoi à bouffer ?

— Où tu veux en venir ? demanda Sam.

— Où je veux en venir ? dit Frank. Cette pute, ce qu'elle est, tout ce qu'elle est devenue, c'est grâce à moi. C'est à moi qu'elle le doit ! Et tu me l'as bousillée ! Tu sais ce qu'elle valait sur le marché ? Tu sais combien ça coûtait pour passer une journée ou une nuit avec elle et la sauter ? Un gars comme toi, un moins que rien, aurait jamais pu se la payer ! Une trans comme elle, belle comme une reine ! C'était une véritable mine d'or ! Elle menait la grande vie et, tout ce qu'elle avait à faire, c'était d'écarter ses jambes et de se laisser bercer. Ouais, mon vieux. Elle avait pas à se plaindre, parce que je lui donnais tout ce qu'elle voulait. Et comment elle me remercie ? Hein ? Comment ? En se sauvant ! En sautant de ma saloperie de voiture et en se poussant comme une sauvagesse !

De sa main libre, il attrapa Alexia par les cheveux, la tira vers lui, lui plaqua le 9 mm sous la gorge.

— Tu m'as déçu, beauté, il grogna. Vraiment ! Et je te jure, je te jure que t'aurais mieux fait de crever dans les bois, ça aurait été préférable pour toi. Pour lui aussi. Tu vas souffrir et il va rien manquer du spectacle, je te le promets. Après, après, ce sera son tour à lui. Mais c'est dommage, tu vas manquer ça. Tant pis. T'inquiète pas, je lui réserve aussi de bons moments !

Il regarda Sam, lui lança un clin d'œil.

— T'as de la corde, mon ami ? il demanda.

42

Alexia souhaitait qu'il en finisse. Elle se disait qu'elle allait mourir, elle était résolue à l'idée. Elle sentait le canon du pistolet sous sa mâchoire. Frank qui tirait ses cheveux. Il parlait, mais c'était comme dans ce restaurant de Sherbrooke, elle ne l'écoutait pas, elle n'entendait rien. Ses oreilles bourdonnaient. Elle était ailleurs, détachée d'elle-même. Elle fermait les yeux. Elle espérait que Frank allait presser sur la détente. Le bruit terrible que ça ferait. Elle se disait que le son l'engourdirait, la mort explosant dans sa tête. Ce serait la dernière chose, elle ne sentirait plus rien ensuite. Elle aurait la paix. Enfin. Délivrée. Ce serait…

Non.

Non, pas ça. Elle avait enduré un paquet de vacheries et de merde dans sa vie. Pas ça. Mourir, oui, mais pas de cette façon. L'âme et le corps affaissés.

Un éclair de lucidité. Elle ouvrit les yeux, paniquée. Son cœur s'emballa, battit à tout rompre. Elle vit Sam assis à la table. Son visage était en sang, son nez cassé, et il était là, calme. Il la regardait. Elle. Et…

Il lui souriait.

Ce n'était qu'un faible mouvement qui retroussait ses lèvres, un dessin, une esquisse. Mais c'était un sourire. Qu'il lui adressait. À elle. Et elle vit dans son regard une tranquillité, une douceur qui lui firent presque mal tellement elles la réchauffaient, une tranquillité et une douceur qui transcendaient l'horreur.

Il lui souriait alors qu'elle était prête à se laisser mourir.

Non.

Elle entendit Frank demander : « T'as de la corde, mon ami ? »

Elle ragea. C'était venu d'elle ne savait où, mais cette rage monta en elle comme un souffle brûlant, elle cria, elle repoussa Frank de toutes ses forces. Si elle devait mourir, ce ne serait pas sans lutter, sans chercher à se défendre.

43

La violence de l'action.

Sam n'hésita pas. Dès qu'Alexia bougea, dès qu'il la vit amorcer un geste et qu'elle repoussa Frank, il bondit. En une fraction de seconde, il avait dégagé la table et il était sur lui, sur Frank. Alexia avait joué avec la chance en agissant de la sorte, c'était même de la folie, ce qu'elle avait fait, mais c'était là l'erreur de Frank. Il avait été complaisant. Il avait pris Alexia à la légère, il ne l'avait pas considérée comme assez forte pour lui tenir tête une seconde fois, il avait baissé sa garde et Alexia avait saisi l'occasion, elle avait ouvert la voie.

Pris de court, Frank bascula sur le côté puis sur le dos, il n'avait rien vu venir.

Et Sam était sur lui.

Les deux hommes roulèrent sur le plancher. Frank avait toujours l'arme en main, et Sam retint son bras, l'empêcha de manœuvrer et de pouvoir s'en servir. Il pensa à Alexia, cria pour qu'elle dégage, se sauve, il ne voulait surtout pas qu'elle prenne une balle perdue, mais elle ne put que reculer dans un coin, se recroquevilla près du réfrigérateur, paralysée, figée, incapable du moindre mouvement.

Sam se battait avec Frank. Il était plus fort, plus en contrôle, en position dominante, mais l'autre était armé, dangereux, il ricanait presque. Sam essayait de lui faire lâcher le pistolet, frappait violemment son bras contre le sol et, pour finir, il lui envoya un solide coup de tête en plein visage. Ce fut maintenant le nez de Frank qui éclata. Le sang gicla et, sous l'effet de la surprise, de la douleur, Frank râla, et l'arme glissa sur le carrelage.

Sam releva Frank, il le balança furieusement contre le mur. La maison en trembla. Secoué, Frank vacilla, tomba sur les genoux.

Sam se pencha, prit le Beretta, vérifia le chargeur d'un geste rapide, s'assura qu'une balle se trouvait bien dans la chambre.

Locked and fucking loaded.

— Le vent a tourné, j'ai l'impression, lança Frank en riant et en essuyant le sang autour de sa bouche. Tu vas faire quoi maintenant, hein ? Tu vas appeler la police ? Quelle connerie tu vas leur raconter pour Lebron ? Tu sais qui sont ses amis, à ce gars-là, t'as une petite idée ? Et mes amis, à moi ? Tu les connais ? Hein ?

Sam l'ignora. Il se tenait droit, debout au centre de la pièce, les bras de chaque côté du corps, le pistolet comme une extension de sa main droite. Il regarda Alexia.

— Ça va ? il lui demanda.

Elle hocha la tête.

— Oui. Ça va.

— C'est fini, maintenant. C'est terminé.

Le son de sa voix était calme, froid, inquiétant. Mais c'était rassurant pour Alexia.

Frank se remit à rire.

— Vous êtes beaux, tous les deux ! Vraiment ! Vous formez un joli couple. Vous songez à *faire* des enfants ?

— Va chier, Frank ! lança Alexia.

— Oh, il dit en se relevant, chancelant, tu te sens en sécurité, maintenant, pas vrai ? T'as ton foutu soldat pour te protéger, alors ça t'excite. C'est ça ? Et tu crois que ça te donne le droit de me tenir tête ? Salope ! T'as de la chance, j'espère que t'en es consciente ! Mais je vais te dire une chose : quoi qu'il arrive, tu seras jamais tranquille avec moi. Je vais toujours te courir après, je vais jamais te lâcher. Jamais. T'entends ça ? JAMAIS ! Tu m'auras toujours sur le dos. T'auras beau te pousser à l'autre bout du monde, je vais finir par t'avoir, joli *garçon*.

Il cracha vers elle, la manqua de peu.

— Et quand je vais te retrouver, il poursuivit, je te jure, je vais tellement te faire mal, tu vas me supplier d'arrêter, je vais te défoncer jusqu'à l'os, et tu vas me…

La première balle fut pour son entrejambe, qu'elle réduisit en bouillie, éclatant sa queue et ses couilles. Le son se répercuta, pareil à un coup de tonnerre, dans la maison. La surprise figea une grimace sur le visage de Frank. Il tourna ses yeux vers Sam. Il vit la froideur en lui, un vent du Nord qui soufflait en cet instant en son âme. Et avant même que la douleur se propage dans son corps et qu'il pousse un hurlement, la seconde balle déchira sa poitrine.

Elle lui explosa le cœur.

44

Le monde est sauvage.

Sam le pensait. Il avait été aux premières loges. Il connaissait l'horreur, les profondeurs de l'horreur. Il avait vu des hommes, des femmes, des vieillards et des enfants innocents abattus en pleines rues, humiliés, torturés, violés, exterminés de manière systématique, brûlés vifs par des fous furieux, des fous qui se réclamaient de Dieu alors même qu'ils jaillissaient de l'enfer, démons hirsutes, poussiéreux, puants. Il s'était souvent demandé s'il allait survivre à ça, à ce qu'il voyait jour après jour. Il se sentait impuissant malgré tous les efforts déployés pour résister à ces monstres, à cette folie. Il avait choisi cette voie, celle des guerriers, la voie des samouraïs, une voie forgée dans l'honneur et l'acier, dans la chair et le sang, avec l'espoir de faire une différence, d'être sur la première ligne et de protéger l'homme de ses pires excès, de ses plus sombres dérapages, de ses délires qui menaient inexorablement à sa propre destruction. Il lui semblait à présent que c'était peine perdue. L'horreur – la folie humaine – ne faisait que s'étendre, une saloperie de cancer. Elle n'avait pas de frontières. On pouvait la contenir, mais, peu importe comment, elle trouvait toujours un chemin. Elle embrassait les plus purs idéaux et les noircissait, les corrompait, elle en pourrissait le cœur. Des hommes et des femmes se tenaient droits devant ça, combattaient par le glaive et l'épée, alors que d'autres courbaient l'échine, rentraient dans le rang, seul choix pour survivre, silencieux, effacés, anonymes, terrifiés, et certains baissaient même les bras, s'agenouillaient par dépit, prêts à ce qu'on les égorge, pareils à des agneaux attendant l'heure du sacrifice.

S'était-il trompé ? Peut-être. Mais il refusait de le croire. Il avait sacrifié sa vie pour ça. Et il recommencerait s'il le fallait. Encore, encore et encore.

Il avait toujours eu ce feu dans les veines, ce vent brûlant, parfois glacé comme cette nuit, cette tempête, cette insoumission. Cette rage contre les atrocités, les injustices, contre ceux qui portaient la noirceur, qui la brandissaient comme un étendard. Il n'avait jamais craint la mort, pas plus qu'il n'avait eu peur de l'affronter. La mort n'était rien, il était déjà en paix avec elle. La mort, il était prêt à danser dans ses bras.

Mourir n'était rien, un simple passage, une danse, oui, vers un autre monde. La mort, il l'affronterait la tête haute, quoi qu'il arrive. Il était prêt pour ce combat.

Il voulait seulement qu'elle épargne ceux qui ne demandaient qu'à vivre.

Ces hommes, ces femmes, ces enfants qui ne souhaitaient qu'être libres et en paix.

Il voulait que la mort épargne le plus longtemps possible ceux et celles qu'il aimait.

Danny, Rose. Elisabeth – malgré leurs déchirures.

Maintenant Alexia.

Et Clara.

Au cours de ses multiples déploiements, il avait écrit à Clara un nombre impressionnant de lettres, des lettres qu'il ne lui avait encore pas remises et qui reposaient dans un coffre fermé à clé, sous son lit. Peut-être les lirait-elle un jour. Certainement qu'elle le ferait. Mais plus tard. Quand il ne serait plus là.

Beaucoup plus tard.

Quand cette mort qui est l'aboutissement de toute vie viendrait le prendre dans son vieil âge.

Ces lettres, en substance, étaient simples. Elles lui disaient d'aimer et d'être aimée, d'apprécier chaque instant, chaque seconde de sa vie, elles lui disaient de ne pas avoir de regret ou, du moins, de ne pas les accumuler et de les abandonner derrière elle. Elles lui conseillaient de ne pas regarder le passé, de se concentrer sur le moment présent, d'aller de l'avant, toujours, de ne jamais s'arrêter. Ces lettres, il le souhaitait, étaient le trésor d'un père à sa fille, l'héritage de son âme. Une lumière qu'il lui laissait, une veilleuse dans l'obscurité et le glauque du monde. Il n'avait pas de grandes leçons à lui donner, il n'était pas un prêcheur, il ne lui faisait pas la morale. Souvent, il lui parlait de la beauté des jours levants, de la pureté du vent, des sourires de ces enfants qu'il voyait dans les villages afghans, leurs yeux brillants, leurs rires comme une cascade de diamants. Ces enfants-là aussi avaient droit au soleil. Il lui parlait d'espoir. De compassion. D'humanité.

D'humanité. Lui-même ne savait plus où se situer parfois. Était-il de ces monstres? Certains le croyaient. Il n'en avait rien à foutre de ceux-là, de ceux qui ne considéraient que leur côté de la médaille. Il n'aimait pas tuer, mais c'était son job, on l'avait formé pour ça. En temps de guerre, en temps hostiles, le monde se divisait en deux, qu'on le veuille ou non: bons et méchants. *Good guys, bad guys.* Il fallait choisir son camp. Bien sûr, il y avait des zones d'ombre, des zones grises, ce n'était pas toujours noir ou blanc, il y avait plusieurs degrés de variations, de nuances, mais, d'une manière générale, c'était assez simple. Il y avait ceux qui cherchaient à violer la liberté sous toutes ses formes, qui refusaient toutes beautés, ceux qui puaient la haine et se réjouissaient de la répandre, la hargne au cœur, ceux qui envoyaient de jeunes garçons et de jeunes filles se faire exploser dans les marchés publics. Ceux-là n'avaient aucune pitié. Aux yeux de Sam, ils n'en méritaient pas plus en retour.

Tuer était une chienne d'habitude et Sam avait un don pour ça. Il l'avait découvert tôt dans la vie. Mais il avait cru en avoir terminé depuis longtemps. Il se trompait.

Qu'allait-il faire à présent ? Il se retrouvait avec deux cadavres sur les bras. Deux cadavres. Qu'est-ce que ça changeait ? Rien. Il ne regrettait pas leur mort. Il regrettait par contre qu'ils aient existé. Il ne ressentait rien pour eux, aucune compassion. Mais il allait maintenant devoir vivre avec leurs esprits.

Le monde est sauvage, oui.

Et ça faisait chier.

45

Alexia tremblait, recroquevillée dans l'angle du comptoir et du réfrigérateur, elle fixait le corps inerte de Frank sur le plancher, le sang qui formait une mare autour de lui.

Sam retira le chargeur du Beretta, s'assura que la chambre de l'arme était dégagée. Il la déposa sur la table, glissa le chargeur dans la poche de son jeans. Puis il s'approcha d'Alexia, s'agenouilla près d'elle.

— Je suis désolé, il dit doucement.

Elle se tourna vers lui, des larmes coulaient sur ses joues.

— Prends-moi dans tes bras, s'il te plaît.

C'est ce qu'il fit. Il la serra contre lui, puis il la souleva de terre. Elle enfouit son visage dans le creux de son cou. Il la transporta jusqu'à la salle de bain, enjambant le cadavre de Frank. Les deux étaient blessés au visage, couverts de leur propre sang.

Sam s'occupa d'Alexia en premier. Il nettoya chaque centimètre de sa peau avec délicatesse, il caressa ses cheveux, il l'embrassa. Il était désolé de tout ça, de l'avoir laissée seule, d'avoir attendu, d'avoir ainsi permis à Frank de s'approcher, de la toucher, de lever à nouveau la main sur elle. Il s'en voulait, mais c'était trop tard, il n'y pouvait plus rien à présent. Il la prit contre son cœur.

Alexia s'accrocha à lui de toutes ses forces. Tout ce que Frank avait dit d'elle devant Sam la dégoûtait. Elle se sentait sale, meurtrie de l'intérieur. Humiliée et défaite.

Mais Frank était mort maintenant.

Et c'était Sam qui l'avait tué.

Elle n'avait aucune idée de ce qui en ressortirait. Elle savait seulement qu'elle tenait à lui.

Et qu'en cet instant précis, la peur, pour la première fois de sa vie, l'avait quittée.

46

Le nez cassé de Sam le faisait souffrir, mais il ne dit rien, il endura en silence. Il aida Alexia à enlever le tee-shirt maculé de sang qu'elle portait, il le balança dans la corbeille près de la vanité. Il vira son chandail du même coup.

Qui des deux amorça le premier mouvement, c'était dur à dire, ils étaient en parfaite synchronisation. Ils firent l'amour sur le carrelage de la salle de bain. D'abord avec une délicate précaution, comme s'ils craignaient que leurs corps se brisent en entrant en contact, comme si le risque de s'y perdre pour toujours planait au-dessus de leurs têtes. Mais, vite, ils s'abandonnèrent dans la moiteur et le rauque de la nuit, leurs instincts à vif, leurs respirations déchirant le silence, leurs peaux baignées d'une lumière orangée, d'une odeur de cuivre et de terre brûlée. La violence des dernières heures les tenait encore entre ses mâchoires, foudroyait leurs ébats, les rendait possédés, affamés l'un de l'autre dans un puissant élan de survie. Ils jouirent en se mordant les lèvres, ils jouirent jusqu'à l'essoufflement complet, jusqu'à l'épuisement final de leurs corps, peut-être même – serait-ce jamais possible ? – jusqu'à l'apaisement de leurs âmes.

47

Il fallait se presser, le temps comptait, il fallait se bouger avant le lever du jour.

Sam gara la Porsche Cayenne de Frank près du garage. Puis il redescendit le chemin pour aller chercher sa Jeep, qu'il stationna à son endroit habituel derrière la maison, près du grand pin.

Dans le garage, il prit un bidon d'essence de cinq litres qu'il rangea dans le coffre arrière de la Porsche. Il avait caché le corps de Lebron sous une vieille bâche en toile là où il entreposait son bois de chauffage. Il traîna le corps pesant jusqu'au VUS, le hissa à l'intérieur, l'étendit sur le sol, entre les sièges avant et la banquette arrière. Il alla ensuite chercher Frank. Il installa celui-ci du côté passager, l'attacha avec la ceinture de sécurité. Sam avait son plan. C'en était un qu'il improvisait à mesure, mais c'était ce qu'il pouvait faire de mieux dans les circonstances. Ses choix étaient limités.

Il fit le tour de la maison, fouilla dans les armoires, dans la penderie, ramassa tout ce qu'il put trouver de vieux chiffons, de vieilles couvertures. Dans la cuisine, il épongea le sang sur le plancher, mit les linges souillés dans un sac-poubelle qu'il balança à l'arrière de la Porsche avec le bidon d'essence et la bâche, à la suite de quoi il s'attaqua à un nettoyage en règle, lavant et désinfectant le plancher à fond. Rapide et efficace.

Alexia voulut lui donner un coup de main, mais il refusa. Il ne voulait pas qu'elle soit impliquée, d'aucune façon. C'était peut-être absurde, mais si quelqu'un devait payer pour ce gâchis, c'était lui, et lui seul. Il prendrait le blâme. Alexia en avait assez eu comme ça.

Le trou dans le mur, près de la porte, la balle que Frank avait tirée. Sam allait devoir s'occuper de ça, mais ça attendrait son retour.

La porte aussi attendrait. Il la replaça de façon temporaire.

Il monta à la mezzanine se changer, enfila un short camouflage par-dessus un cuissard de triathlon, un chandail de surf O'Neill noir à manches longues et des chaussures de course en sentier. Il attrapa un sac à dos imperméable dans lequel il enfourna le chargeur du Beretta. De retour au rez-de-chaussée, il démonta l'arme morceau par morceau, les enveloppa dans un linge à vaisselle et mit l'ensemble dans le sac à dos avec le chargeur. Il prit un briquet Zippo dans un des tiroirs de la cuisine, le glissa dans la poche de son short.

Alexia le regardait faire en silence, hypnotisée. Sam ne démontrait aucune hésitation dans ses actions, chacun de ses gestes était précis, efficace, calculé. Il ne laissait rien au hasard tout en étant d'une rapidité surprenante. En l'espace d'une heure, à peine plus, c'était comme si rien ne s'était déroulé dans la maison. Alexia avait encore du mal à réaliser ce qui venait de se produire, et Sam, lui, en avait pratiquement effacé la moindre trace.

Quand il eut terminé, il passa une courroie du sac à dos sur son épaule et il s'approcha d'Alexia.

— J'en ai pas pour longtemps, il dit. Je me dépêche. T'as plus rien à craindre, d'accord? Je suis désolé pour tout ça, Alexia. Je suis vraiment désolé. Mais c'est fini maintenant.

Elle hocha la tête.

— Tu vas faire quoi? elle demanda.

— T'occupe pas de ça. Je vais m'arranger. C'est mon problème à présent. Ce n'est plus le tien.

Elle baissa les yeux, secoua la tête.

— C'est ma faute. C'est moi qui t'ai mis dans ce pétrin.

Sam prit son visage entre ses mains.

— Non. Non, c'est pas ta faute. C'est la sienne. C'est Frank qui l'a cherché. C'est sa faute à lui, et à lui seul. T'as rien à voir là-dedans. Toi, t'es libre.

48

Sam conduisit la Porsche sur la route qui longeait le lac dans sa partie septentrionale. Presque trois heures du matin, il devait se grouiller. La nuit était douce, aucune lumière dans les quelques chalets qu'il voyait au bord de l'eau, à travers les arbres. Il roulait le plus vite possible sans trop tenir compte de l'état imparfait de la chaussée. La suspension de la Porsche, il pouvait la démolir, il n'en avait rien à branler.

Rendu à l'extrémité nord du lac, il emprunta un chemin forestier qui grimpait dans la montagne. Rapidement, le chemin devint une route de terre mal entretenue, puis un sentier de VTT plutôt raide et étroit. Les branches frottaient, égratignaient la carrosserie de la Porsche. Le corps de Frank brinquebalait sur son siège. Sam s'en foutait. Frank n'était rien pour lui. Lebron non plus. Ils ne valaient rien à ses yeux. Des raclures qui avaient eu la mauvaise idée de se mettre sur sa route. Était-ce bien, ce qu'il avait fait ? Il ne se posait pas la question. Il connaissait déjà la réponse. Ça aussi, il s'en foutait.

Bientôt, il arriva au sommet, sur un immense plateau découvert, un cap de roche. Il arrêta la Porsche là où des randonneurs venaient parfois s'installer pour la nuit, souvent à l'automne, à l'emplacement exact où ils allumaient leurs feux de camp. Il baissa la fenêtre côté conducteur, coupa le moteur.

Le silence cliquetait maintenant dans cette fin de nuit.

Par précaution, il s'appliqua à frotter chaque partie du véhicule qu'il se souvenait d'avoir touché. C'était peut-être superflu, il préférait cependant ne pas courir de risque, ne rien laisser au hasard. Une fois cette partie du travail achevée, il aspergea les corps et l'intérieur avec l'essence contenue dans le bidon de cinq litres. Son sac à dos sur les épaules, il recula, sortit le Zippo de sa poche en s'assurant de le tenir par la manche de son chandail. Il l'alluma d'un geste vif sur sa cuisse, faisant rouler la molette contre la pierre sur le tissu épais de son short. Il demeura un instant immobile, le briquet à la main, la flamme qui flottait. L'odeur d'essence était forte, elle le prenait à la gorge dans la nuit fraîche. Sam lança le briquet par la fenêtre ouverte de la portière.

Aussitôt, l'intérieur du véhicule s'enflamma.

Il redescendit par les sentiers en courant à pleine vitesse. Il suivit un autre chemin que celui qu'il avait emprunté avec la voiture. Il fonçait dans l'obscurité, mais ses yeux s'acclimataient bien et, déjà, le bleu de la nuit se clarifiait.

À mi-parcours, il entendit l'explosion. Elle provenait du réservoir à essence. Il s'arrêta un instant, leva les yeux vers le ciel. Une lueur orangée au loin, un nuage de fumée. Il chercha à reprendre son souffle. Il avait du mal à respirer à cause de son nez cassé. Il ne traîna pas. Il courut jusqu'à ce qu'il atteigne les berges du lac.

Il s'agissait maintenant de rentrer à la nage. Près de trois kilomètres. Il enleva son short camouflage, le rangea dans le sac à dos. Il garda le chandail noir pour être le moins visible possible. Puis il se glissa dans l'eau froide. Il avait déjà traversé le lac plusieurs fois, ce n'était pas un problème. Le sac à dos l'encombrait, mais il s'en accommoderait. Il prit ses repères et s'élança à la brasse, silencieux.

Au milieu du lac, il s'arrêta un court instant pour disperser les morceaux du Beretta, qu'il avait sorti du sac. Il les laissa couler autour de lui. Chacune des pièces alla s'enfoncer dans le fond sombre et vaseux. Il lança le chargeur de toutes ses forces au loin. L'objet percuta la surface, on aurait dit un poisson qui sautait.

Il poursuivit sa nage.

Il était épuisé lorsqu'il se hissa enfin sur le quai devant la maison. Le sac, bien qu'imperméable jusqu'à un certain degré, s'était rempli d'eau au fur et à mesure de sa progression, surtout après qu'il l'eut ouvert pour se débarrasser du pistolet. Ça n'avait pas aidé. Les sangles et le tissu rêche avaient frotté, râpé sa peau malgré le chandail, laissant des marques rouges pareilles à des brûlures. Son nez était mal en point. Et ses muscles. Ses muscles chauffaient, ils étaient lourds. Pour la première fois de sa vie, il se sentit vieux. Vieux. Usé. Terriblement las.

Il resta assis sur le quai, à frissonner. Le calme autour de lui avait quelque chose d'étrange, de surréel. Le jour se levait. La brume matinale s'étendait sur le plat de l'eau. Il ne savait pas s'ils allaient s'en tirer.

Là, dans ce petit matin qui avait tout d'un miracle, il se demandait si Alexia accepterait d'habiter avec lui, maintenant. C'était la seule chose qui comptait. C'était ce qu'il souhaitait.

Il voulait qu'elle demeure avec lui.

Il pensa aussi à Clara. Il voulait lui parler. Entendre sa voix. Il voulait, merde, il voulait lui demander pardon.

Des pas frôlèrent l'herbe, le quai émit un grincement. Sam se retourna. Alexia se tenait derrière lui, enveloppée dans un drap. Son visage était tuméfié, ce qui n'enlevait toutefois rien à sa beauté. Ses cheveux blonds tombaient sur ses épaules. Elle aussi semblait irréelle.

— Tu veux que je parte ? elle demanda d'une voix feutrée.

— Non. Je veux que tu restes.

Elle lui sourit et Sam songea que derrière chaque crépuscule se cachait une aube.

49

— Papa !

— Salut, ma puce, comment tu vas ?

Il était passé onze heures, un peu plus de huit heures du matin à Portland. C'était Sam qui avait appelé.

— Je vais bien, dit Clara. Et toi ?

— Oui, ça va. Je voulais juste, je voulais juste t'entendre. Entendre ta voix.

Il n'avait pas encore fermé l'œil, il n'y arrivait pas. Alexia et lui avaient refait l'amour, mais cette fois, après, elle avait pleuré dans ses bras, inconsolable. Il l'avait tenue contre lui sans rien dire, simplement en lui caressant les cheveux. Elle avait fini par s'endormir. Il était descendu, de nouveau il avait nettoyé la cuisine, il avait passé le plancher et les murs à l'eau de Javel, il avait désinfecté chaque centimètre carré, deux fois plutôt qu'une.

Il avait bouché le trou laissé par la balle près de la porte avec du plâtre, l'avait camouflé avec une photographie de Clara en attendant de pouvoir repeindre le mur.

Il avait remis la porte d'entrée en place.

Dehors, il avait fait le tour du terrain, près de la maison et du garage, cherchant à effacer les moindres indices du passage de Frank et de Lebron. Mégots de cigarette, traces de pneus sur le gravier, attentif aux détails qui auraient pu lui échapper. Il voulait que rien ne paraisse de leur visite, il voulait sortir de ce foutu bordel sans heurt. Ne plus y penser.

— Tu es certain que tout va bien, p'pa ? demanda Clara, inquiète. Ta voix est étrange.

— Oui, je suis fatigué, c'est tout. Tu sais que Rose a remporté son combat ?

— Oui, j'ai vu ça ! C'est génial, non ?

— Ouais. C'est génial, en effet.

Ils bavardèrent un moment de tout et de rien. Sam se sentait idiot, il avait les larmes aux yeux, sa gorge était nouée, il ne comprenait pas, c'était nouveau pour lui, ces conneries.

— Clara, je veux te poser une question et j'aimerais que tu sois franche, d'accord ? Je veux que tu me dises la vérité. Ok ?

— Oui, ok… Qu'est-ce qu'il y a, papa ?

— Est-ce que, est-ce que tu m'en veux ? Je veux dire, est-ce que tu m'en veux d'être, d'être le père que je suis, de ne pas avoir été présent pour toi ? Je sais que c'est stupide, mais j'ai besoin de savoir…

Il y eut un long silence. Sam ferma les yeux.

— Tu m'as souvent manqué, répondit Clara. J'en pleurais la nuit. Et tu me manques encore. Mais pour rien au monde je t'échangerais, papa. Pour rien au monde.

Sam hocha la tête. Il avait peur que sa voix se brise, qu'elle se casse comme du verre.

— Je t'aime, ma puce, il murmura.

50

La Porsche cramée, carbonisée, fut retrouvée par des marcheurs le surlendemain. D'une manière qui pouvait paraître surprenante, personne n'avait été alerté par les flammes au sommet du cap de roche, ni par l'explosion. Mais il n'était pas rare que des groupes de jeunes ou des campeurs se rassemblent à cet endroit. Si quelqu'un remarqua quelque chose d'inhabituel cette nuit-là, il ne se manifesta jamais.

Un coup de chance. Peut-être.

Il restait peu des corps calcinés de Frank et Lebron. Lorsqu'ils furent identifiés, la conclusion des enquêteurs tendit vers le règlement de comptes. Cependant, certains éléments clochaient, les causes principales de leur mort, notamment. Les vertèbres cervicales de Lebron avaient été brisées, Frank avait été abattu de deux balles de calibre 9 mm, dont une aux parties génitales. Rien qui cadrait avec les méthodes habituelles du crime organisé, des motards ou des gangs de rue, milieux fréquentés par les deux victimes.

Il pouvait s'agir d'une vengeance. En fait, c'était une forte probabilité. Aussi le dossier demeura-t-il ouvert.

Mais il n'y eut pas de suite.

51

« All the wild horses / Tethered with tears in their eyes / May no man's touch ever tame you / May no man's reins ever chain you / And may no man's weight ever lay freight your soul / And as for the clouds / Just let them roll / Roll away »

RAY LAMONTAGNE

L'automne.

La lumière scintillait sur la surface du lac. L'eau semblait avoir noirci depuis le changement de saison. Mais les reflets qu'elle envoyait en tous sens étaient autant de paillettes d'or.

Les nuages, blancs et gonflés dans le ciel bleu, étaient poussés par un vent frais, presque froid, qui annonçait la neige à venir. Dans les montagnes, partout autour, les couleurs étaient splendides, magnifiques, on en était facilement ébloui, captivé, on pouvait rester là des heures entières à les observer, à rêvasser. Bientôt, il n'y aurait plus rien de cela, ce serait fini, les feuilles multicolores tomberaient une à une, s'envoleraient au gré des bourrasques pour aller terminer leur course sur le sol humide, givré au petit matin, des forêts.

La grisaille de novembre s'installerait d'ici quelques semaines.

La vie suivait son cours.

Danny et Rose avaient posé des questions, ils s'étaient inquiétés. Ils s'étaient arrêtés à l'improviste le lendemain, à leur retour de Montréal.

C'était en fin de journée. Ils avaient vu la lacération et le nez cassé de Sam, le visage d'Alexia tuméfié. Elle paraissait plus mal en point que Rose, qui venait pourtant de combattre. Sa nervosité aussi était encore à fleur de peau.

Sam les prit à part. Il ne donna pas d'explication et ne voulut rien leur confier de précis, arguant que c'était mieux de cette façon. Il était préférable qu'ils ne sachent rien. Il leur assura que tout était ok, qu'Alexia n'était plus en danger, que c'était la seule chose qui comptait.

Danny et Rose comprirent à demi-mot. Lorsque la nouvelle sortit dans les journaux et les bulletins télévisés, lorsqu'on parla dans les médias de la Porsche brûlée, retrouvée dans la montagne avec les deux corps calcinés, ils n'eurent pas de doute. Danny sut que Sam ne leur avait rien dit pour les protéger. Ils gardèrent le silence. Ce n'était certes pas simple, mais c'est ce qu'ils firent.

Un mois s'était écoulé maintenant. Ni Sam ni Alexia n'avaient reparlé de ce qui s'était produit. Il n'y avait rien à dire. Il suffisait d'un regard. Ils étaient en parfait accord. Les mots, ces mots qui se rattachaient à cette nuit, n'avaient plus aucune espèce d'importance.

Alexia avait fait couper ses cheveux aux épaules, elle s'était fait faire des mèches qui tiraient vers le roux. Elle voulait changer, repartir de zéro.

Elle passa beaucoup de temps à errer seule, se promenant sur le terrain ou sur la route près de la maison, se risquant parfois sur les sentiers avoisinants. Elle sentait le besoin de se réapprivoiser, de reprendre contact avec qui elle était. Elle n'avait jamais connu ce sentiment, ce qu'elle vivait avec Sam, auprès de lui, son cœur qui battait, semblait-il, au même rythme que le sien. C'était une chose qui à la fois l'enivrait et l'effrayait. Elle craignait stupidement qu'il se lasse de sa personne, de sa présence. Elle savait que c'était idiot, mais c'était plus fort qu'elle. C'était l'habitude, celle de la peur, cette peur qui revenait encore parfois la hanter, cette peur enfouie en elle depuis l'enfance, qui l'envahissait sans crier gare, lui enserrait le cœur dans son étau. Elle n'arriverait pas à s'en défaire en clignant des yeux. Mais elle réalisait que, lorsque Sam l'entourait de ses bras, plus rien d'autre ne comptait. Elle s'accrochait à ça. Elle y tenait plus qu'à tout le reste.

Le jour faiblissait. Sam avait débité la souche sur la plage, il l'avait coupée en morceaux avec la tronçonneuse. Il avait allumé un feu et les flammes dansaient, crépitaient, l'odeur de la fumée se mêlait à la fraîcheur d'octobre.

Alexia était assise sur le quai, perdue dans ses pensées. Sam alla la rejoindre. Souvent, il la sentait triste. Il ne s'en inquiétait pas. Il était là, avec elle, et quand elle le regardait, elle souriait. Il ne demandait pas mieux. Elle revenait de loin, mais ça semblait aller. Elle tenait le coup. Et puis, il avait tout son temps, il n'était pas pressé. Il avait tout son temps pour elle.

Il s'assit à ses côtés. Elle eut un frisson à cause du vent, elle se colla contre lui, il passa son bras sur ses épaules.

Une volée d'outardes traversa le ciel en cacardant au-dessus de leurs têtes, en direction du sud. Ils les regardèrent jusqu'à ce qu'elles disparaissent à l'horizon.

— Elles ont du chemin à faire, dit Alexia.

— Plutôt, oui.

Sam tourna la tête vers elle, il l'observa un instant. Elle fixait le lointain comme il en avait lui-même l'habitude. *Bon Dieu, ce qu'elle est belle*, il pensa. Ça le chavirait chaque fois. Il glissa une main dans ses cheveux. Juste ça, c'était d'une douceur absolue, ça portait à rêver.

— Le monde est sauvage, baby, il murmura. Mais toi, toi, tu es sa lumière.

— Quoi? demanda Alexia, sortant de sa rêverie. Qu'est-ce que t'as dit?

— Rien, il fit. Rien, j'ai rien dit, t'occupe pas de ça.

Il posa ses lèvres sur les siennes. Il en apprécia la fraîcheur. Puis il recula son visage. Elle lui sourit en penchant la tête sur le côté. Ce geste. Ce sourire. Le soyeux de ses cheveux dans sa main. Leur blondeur qui paraissait à présent s'enflammer dans le jour déclinant. Le parfum qu'elle dégageait.

C'était parfait.

Tout ça. C'était parfait.

Notes de l'auteur

À l'exception des allusions à *Extortion 17* et au raid contre Oussama ben Laden, aucune autre opération militaire relatée dans ce roman n'est réelle.

Le personnage de Rose est un clin d'œil délibéré à Rose Namajunas, combattante et championne du monde UFC des poids paille, une jeune femme remarquable. Je m'en suis inspiré et j'ai conservé son prénom. Là s'arrête la ressemblance.

Remerciements

Merci à S.C. de m'avoir permis d'en connaître plus au sujet des Forces spéciales canadiennes et de ses opérateurs. J'ai pour vous, pour votre travail, tu le sais, un profond, un immense respect. Que la vie t'apporte ce qu'il y a de meilleur, mon ami.

À ma blonde et à mes filles, qui m'accompagnent et me soutiennent à travers mes doutes, mes craintes, mes questionnements. Sans vous, je ne serais pas grand-chose. Vous êtes ma lumière.

Enfin, à Johanne Guay, mon éditrice. Pour ta présence, ton écoute et surtout pour ta confiance. Mille fois merci.

Restez à l'affût des titres
à paraître chez Libre Expression
en suivant Groupe Librex :
facebook.com/groupelibrex

edlibreexpression.com

Cet ouvrage a été composé en ITC New Baskerville 12,25/15,3
et achevé d'imprimer en août 2018 sur les presses
de Marquis imprimeur, Québec, Canada.

100 % post-consommation

procédé sans chlore

garant des forêts intactes[MC]

énergie biogaz

archives permanentes

Imprimé sur du papier 100 % postconsommation,
accrédité Éco-Logo, traité sans chlore, garant des forêts intactes
et fait à partir de biogaz.